JN111286

トミ・ウンゲラー

どうして、
わたしはわたしなの?

トミ・ウンゲラーのすてきな人生哲学

アトランさやか 訳

現 代 書 館

Warum bin ich nicht du? by Tomi Ungerer

By arrangement through Meike Marx Literary Agency, Japan

はるか遠く、西の空から

アレクサンドル・ラクロワ Alexandre Lacroix

前もって、話はしっかり聞いていた。トミ・ウンゲラーが電話で話してくれたところによると、アイルランドにある彼の住まいはヨーロッパの最西端に位置していて、かつて密輸業者がひんぱんに行き来していた入り江のすぐそば。スキューバダイビング愛好家たちがよく事故をおこすので、あやうくおぼれ死にかけた遭難者を自宅のソファに迎えては、救助を待っている人たちにウイスキーを嬉嬉としてふるまうのだという。家のちょうど前には次つぎと波が打ち寄せ、その真ん中には彼の絵本『*Maître des brumes*』〔訳注：『アイルランドの霧使い』、日本未刊〕にも登場する巨大な岩礁「悪魔の歯」がそびえているそう。そうやって前もって聞いていたにもかかわらず、トミが根を下ろした土地を実際にこの目で見たとき、わたしはその風景のすばらしさにすっかりショックを受けることになった。断崖絶壁に囲まれた湿原では、羊が草を食(は)んでいる。美しさとおそろしさが併存するこの土地を表現するには、単に「すばらしい」というよりも、イマヌエル・カントが説くところの「崇高」という言葉を使うほうが適当かもしれない。というのも、彼が生きている土地はあまりにさびしくて荒涼としていたし、沖の空気、鼻をつく海藻のにおい、雨風が有無を言わせぬ力をふるっていて、人が暮らしを営むのは不可能といっても過言ではないほどだったのだから……。

「フィロゾフィー・マガジン」〔訳注：フランスで刊行されている哲学の月刊誌〕に

子どもたちから寄せられた質問への答えは、ほかでもない、トミが暮らすその土地から生まれたもの。トミによる手書きの答えは、古風にも、わたしのもとにファックスで月に一度送られてきた。数枚にわたるページには、取り消し線、スケッチ、追記、番号がふられたオマケのエピソードも添えられている……。これらのページがしたためられたはるか西の独特な土地柄が、答えそのものはもとより、子どもたちへメッセージを伝えるときの、ほかの人には到底真似できない独創的なスタイルをつくるのに貢献していることは明らかだ。

まず、大西洋の高波にすっかり荒らされたこの湿原には、信仰もなければ法もない。都会とはちがって、人びとは規則や礼儀、慎重さなどから解放されているのだ。壮大な自然の中では、あらゆる決まりごとには羊のフンほどの価値もなくなってしまう。トミは、人に不快感を与えそうなことを平気で表現してのける。ソーシャルネットワークで拡散される情報などの一切は、トミがいる場所までは届かない。世間から地理的に遠く離れることによって、トミはつまらない常識の縛りから上手に逃れているといえる。それに、トミの文章や絵には、常に恐怖とたわむれているようなところがある。本作にもたびたび描かれているように、子どものころにアルザス地方で第二次世界大戦を経験したことがその背景にあるのだろう。ただ、アイルランドの地峡の上に月が昇るのを毎晩眺めていれば、あたりに漂う亡霊の気配や、その奇妙にも甘やかな恐怖を感じずにいられないのも事実だ。さらに、芸術家がまっすぐにものごとの本質に迫るには、こんな飾り気のない土地がぴったりだともいえる。トミに限っては、単純なイラストや逸話だけでお茶をにごすようなことは決してない。彼が描くスケッチには、どれをとっても見る者をハッとさせる象徴性がある。文章についても同様に、きわだった簡潔さで表現するのがトミ風。そう、嵐がもたらす突風は、余計なおしゃべりを容赦なくかき消してしまうもの。残るのは、必要不可欠な短い言葉を発するための息吹だけだ。

道草しつつ、道理も通す

トミ・ウンゲラー Tomi Ungerer

ごくふつうに日常生活を送る中で、すぐに役だつ知恵を授けてくれない哲学は、アクロバティックすぎる脳の体操以外のなにものでもない。ぼく自身、若かりし日にはきわだって頭脳明晰であるカント、デカルト、ウスペンスキー、キェルケゴールなどの本に没頭したものの、最終的には、彼らの言わんとしていることをまったく理解できていないと認める結果になった。高高度で飛行する思考をとらえるには、それなりの知的能力が必要で、ぼくは、その能力には恵まれていないというだけのことだ。

それはそうとして、ただひとつだけの真実を声高に叫ぶ理論に対しては、いつだって警戒してきた。子ども時代を過ごしたアルザス地方は当時ナチスの統治下で、すべてが単純化されていた――「余計なことは考えない！すべてはヒトラー総統にお任せだ！」ってね。

ぼくはじぶんの頭で考える自由を手にしている。なにかがおこったら、シンプルで実用的な解決法を探しながら、じぶん自身や他人の深部を掘り下げるのが好きだ。ところで、地に足のついた現実主義者ぶっているぼくの脳みそは、ときとして足早にどこかへとんずらしてしまう。

「フィロゾフィー・マガジン」の編集長アレクサンドル・ラクロワから、子どもたちの質問に答える連載を提案されたぼくは、そのチャンスに食いついた。まるで、野生動物が獲物に飛びかかるみたいにね。

何年か前の公開討論会で、スイスのある幼稚園の園長に「わたしの存命中は、トミ・ウンゲラーの本は1冊たりとも園には入れません」と言われたことがある。大半の教育関係者と同様、小さなモンスターたちに囲まれる母親がどんなものだか、その園長には実感する機会がなかったにちがいない。

彼女にとって、子どもというのはか弱く傷つきやすい存在で、邪悪な力に支配された社会から守ってやらなければならない存在だった。

ところで、妻が言うところによると、ぼくは子どものままで成長が止まってしまっているらしい。つまり、ぼくはいまだかつて大人になったことはないということ。そのおかげで、子どもっぽくて茶目っ気たっぷりの無邪気さや、新しいことを見つけては常に驚く力をもち続けることができた。飛行機に乗るたび、毎回初体験のような気持ちになる。

きわどいユーモアにかんしては、子どもたちとぼくの波長はぴったり合っている。ぼくのお手本になっているのは、イソップものがたりやラ・フォンテーヌの寓話、それにエーリッヒ・ケストナーのものがたりだ。

数年前のこと、ぼくはカールスルーエ大学から「名誉博士号」なるものを思いがけなく授与された。でも、だからといって、ぼくが前よりも深刻に考えこむようになったなどとは思わないでほしい。どんなときだって遊び心を忘れずに論理を司るのがぼくの好みだ。パスカルが『パンセ』で説いたように「人間は考える葦である」とするならば、黒いソーセージみたいな穂先をつけた夏の終わりの葦を思い浮かべるのがふさわしい。葦がはるか彼方までタネを飛ばすのに似て、ぼくたち人間には、それぞれの考えを外に向かって軽やかに発信できるという強みがあるんだ。

そんなわけで、編集にあたったアレクサンドル・ラクロワは、読み書きに難アリのぼくが書く文章の雰囲気は残しつつも綴りのまちがいを訂正し、長すぎるテキストはカットしてくれた。「なんでもあり」をモットーに、常識とされていることを疑ったり、ものごとを広い視野から眺めるところのあるぼくのスタイルはしっかり尊重しながらね。

ぼくのきつい皮肉が子どもたちに悪影響を与えてはいけないということには、早々に気づいた。そこで、人を敬うことや分かち合うことの大切さを前面にだすことにしたんだ。そんなときにぼくをしばしば助けてくれたのは、サバイバルには欠かせないユーモアの力、そして、なによりも大切な考える自由だった！ ぼくは、道理を通すことだけじゃなくて、道草も愉しんでいる。道中で、説明のつかない神秘にでくわしても心配ご無用。解けない謎こそ、ぼくたちの想像力や夢がよろこぶごちそうなんだ。

子どもたちから受けた多くの質問によって、ぼくは瞬く間に童心に返った。そんなわけで、この本にはぼくが実際に体験したエピソードがひんぱんに登場する。ところで、また繰り返しになるけれど、ある人にあてはまるものが別の人にもあてはまるとは限らない。たとえば、ぼくの絵本『キスなんてだいきらい』は、愛に飢えている孤児の心には響かないだろう。

理屈の通らない不条理な状況に置かれても、ぼくは現実を見続ける。まるで、針葉樹でもないカシの木が、冬がやってきても必死で葉っぱをまとい続けようとがんばるみたいにね。人生とは、不公平で暴力にあふれた世界を乗りこえていく試練なのだから、前もって子どもたちに忠告してやったほうがいい。

子どもに答えるということは、その視点に合わせて、分かりやすい言葉を選び、現実におこっていることやイマジネーションの力を借りながらものごとを説明していくこと。そう、笑顔と敬意さえあれば、すべての困難は乗りこえていける。ぼくたちはみんな――理屈じゃ通らないことがあるからこそ――あれこれと実験し続ける魔術師の弟子なんだ。

だれかを好きになったら、どう伝えたらいい？恥ずかしがり屋でも、友だちはできる？

Maïa マイア ｜ 7歳半

きみのひとつめの質問に答える前に、まずはほかの話をすることにしよう。

アンブラは12歳。ひかえめ、もしくは恥ずかしがり屋というのか、おとなしくて、とても自立した女の子。ぼくの友だちの娘だ。先週のこと、ぼくたちはみんなでいっしょに夕食をとっていた。アンブラは、ぼくの左側に座っていた。食事のとき、ぼくの手をその両手にとったアンブラは、「きれいな手！」と耳元でささやいたんだ。まったく臆することなく、スッと自然にね。そうやって、こんなにもシンプルなふるまいで、アンブラはぼくのことが好きと伝えてくれたというわけだ。86年もの昔からリズムをきざんできたぼくの古びた心臓は、あまりの感動にひっくり返ってしまった。愛やいつくしむ心をだれかに伝えたいとき、往往にして、言葉よりも動作が先にでることがある。ただ、恥ずかしがり屋だと、それもそう簡単にはいかないけれど！

きみのふたつめの質問への答えが、ここから出てくると思う。恥ずかしがり屋というのは、主に、人からばかにされたくないという気持ちからきている。それを乗りこえるためには、つまり友だちをつくるためには、どうしてもじぶんの殻をやぶらなくてはいけない。泳げるようになるために水に飛びこむようにね。はじめの勢いが肝心なのさ。

会話をはじめるには、狙いをさだめた相手のセンスや好み、興味の対象を知ることが役にたつかもしれない。その子は本を読むのが好き？ なにかスポーツをしている？ しているとしたら、どんなスポーツ？ ほかにどんな趣味がある？

厳格な福音主義(ふくいんしゅぎ)[1]だったおじの家に下宿していたぼくは、8歳まで外の世界と切り離されていた。友だちも遊び仲間も、まるでいなかったというわけ。はじめて近所の学校に通うことになったのは、ナチス[2]がやってきた1940年のこと。ぼくはクラスメートの名前をメモ帳に書きこみ、だれかと友だちになるたび、その名前に印をつけていくことにした。新学期の終わりにはみんなを味方にできたので、ぼくはすっかり得意になった。おとなしくて恥ずかしがり屋だったぼくが、みんなをまとめて場を盛りあげるようになったんだからね。そのプロセスで、ずるく立ちまわったこともある。とはいってもだ、それはだれかを裏切ったというわけじゃなくて、悪知恵を働かせた結果なので、ご安心を……。

でも、それであがりというわけにはいかなかった！ 17歳のころ、ラップランドにハイキングに行ったときのこと。ある日、ハンメルフェストという町のユースホステルに戻ってきたぼくは、ふたりのフランス人にでくわした。ぼくときたら、同郷の人に会えたうれしさに、よろこびいさんで話しはじめた。でも、ひとりは冷たく口をとざすだけだし、もうひとりときたら、「あのさあ、おまえのおしゃべりを聞きたいなんてだれが頼んだ？」と、いじわるく返してきたんだ。失敗したときにすぐさま穴に入れるように、ぼくたちはいつでもシャベルをもち歩いておいたほうがいいのかもしれない。

1 キリストの教えを重んじるプロテスタント信徒。
2 1920年に成立したドイツの政党。反民主・反共産・反ユダヤ主義を主張し、独裁政治を進めていた。1945年の敗戦により崩壊。

どうして人には
好きな色があるの？

Adèle アデル｜8歳

　ぼくが思うに、人がある色を好きになるのは、いくつかの考えが組み合わさるから。だから、人はガチョウのうんち色やらカビみたいな緑よりも、空のような青だとか飴だまみたいなピンクといった色のほうをいつだって好むんだ。目が見えない人には選択肢がない。好きになる色は黒だけ。黒は、ぼくが好きな色でもある。とくに、ほかの色とコントラストになっているときはね。

だれかにたたかれたら、じぶんを守るためにたたき返していいの？

Pierre ピエール｜7歳

ああ！　ウイ。そうすれば、一目置かれる。でも、気をつけないと！　仕返しは、勝つ見込みがいたって高いときにしかおすすめできない。

1939年から1940年の「奇妙な戦争（ドロール・ドゥ・ゲール）」[1]中、フランスのポスターには「戦勝は、強きわれらの手の中に！」という勇ましい文句が掲げられていた。でも、そんな不吉な幻想は、それまでにない壊滅をもたらしただけだった。

もし、きみが十分に強くなかったとしたら、攻撃してくる相手に皮肉を言ったりからかったりして腑（ふ）抜けにするという手もある。大事なのは、よどみなく言い返して相手を笑い者にすること。それか、ダビデがゴリアテにしたように[2]、計略をめぐらしてみる。相手を制するために、赤チン液をいっぱいに入れた水鉄砲を使ったっていい。

いくつかアドバイスはしたけど、ぼくは個人的にはずっと暴力を嫌ってきたし、他人とは知性をもってなかよく暮らしていきたいと思っている。

1　第二次世界大戦の西部戦線において、ドイツ・イギリス・フランス軍がにらみ合いをしていたが、実質的な戦闘がほとんどなかった状態。「まやかし戦争」とも呼ばれる。
2　旧約聖書の「サムエル記」に記されている戦いのこと。剣も槍も持たない羊飼いのダビデが巨人兵士ゴリアテを打ち負かした。

戦争に勝ったらなにがもらえるの？

Éric エリック｜7歳

争いに勝つことはできても、戦争に勝つことはできない。戦争というのは、どちらの国にとっても、ひどい損失だ。ものが壊れるだけではなくて、いたましくも無実の命が奪われてしまう。

戦争がおこると、勝ったほうはごうまんになり、負けたほうは復讐

の念を抱くことになる。そして、終わったとたんに、すでに次の戦争が予告されている。「門出の歌」[1]で誇らしげに謳いあげられている勝利だけど、現実はそんないいものじゃない。

ドイツとフランスのあいだで動きが取れなくなっていたアルザス[2]の人間として、ぼくは2度敗北を経験した。奇妙な戦争のあと、1940年にはドイツがアルザス地方を支配し、ぼくたちにフランス語で話すのを禁じた。そして、1945年にフランスはアルザスを取り戻し、それ以後ドイツ語やアルザス語で話すのを一切禁じたんだ。フランスの軍服をまとわされ、次はドイツ、そしてまたフランスと、強制的に兵役につかされたアルザス人の、なんて多かったこと！

でも、ぼくたちは奇跡を体験したんだ。何世代にもわたって殺し合いを続けてきたにもかかわらず、フランス人とドイツ人のあいだでほどすみやかに和解が訪れたことは、世界の歴史上なかった。その例は、ああ、なんとも残念なことに繰り返される気配はないけれど。これは、ひどい戦争を経験した2国の人たちが和解できた珍しいケースだ。

ぼくはといえば、憎しみを憎んでいる。

1 フランス革命期に生まれた愛国歌。現代のフランスでも親しまれている。
2 ドイツとスイスの国境に隣接しているフランス北東部の地域圏。

どうしてお金があるの？

Ceyda セイダ｜10歳

それは、商いに必要だからだ。昔は物々交換があったけど、それは正確さにかけていた。お金があれば、ものに決まった値段がつけられる。

はじめのうちは、肖像がきざまれた金属の硬貨が使われていた。金(きん)は運ぶのには重いわりに、盗むのは簡単だった。紙幣の発明のおかげで、お金は扱いやすくなったけど、ああ、困ったことに紙は燃えてしまう！　だから、お金が指を燃やす[1]なんてよく言われるんだ。今ではクレジットカードがあるから、お金を見なくたって、盛大にムダ遣いできるようになった。

1 紙幣は燃えるので、やけどをしないよう早く使ってしまいたくなるというフランス語の比喩。転じて散財するという意味で使われる。

動物には感情があるの？

Rafaël ラファエル｜13歳

ウイ、動物には感情がある。ホニュウ類はまちがいなくそうだといえるし、とくに犬は、人間と共通した感情をもっている。犬は、ぼくたちに対して、愛情、忠誠、感謝の意を抱いているんだ。ぼくたちの気分を感じ取って、悲しいときにはなぐさめてくれるし、よろこびは分かち合ってくれる。犬というのは、尻尾をふる唯一の動物でもある！（ん？ そうそう、そういえば、きみたちの大好きな恐竜だって尻尾をふっていたんだった）。

犬には感情があるだけでなく、予知能力もある。ある日、ぼくたちが住んでいた村の神父が、飼い犬を連れて車で移動をしていたときのこと。犬が吠えはじめ、おかしな行動にでた。そこで神父が犬を外に出そうと車を止めたとたん、車が燃えはじめて、炎のかたまりになってしまったんだ！

ぼくは、何ページでも、家畜の行動を書くことができるだろう。豚の繊細さと知性、馬の賢明さ、ガチョウの洞察力、羊のチームワーク、牛の善良さ。

ネコ科の動物は、感情を表すのがあまり得意じゃない。ライオンが、愛情表現として猛獣使いをむさぼり食うなんていうのは、サーカスの十八番（おはこ）になっているくらいだ。動物の世界に見受けられるふるまいとしては、たとえば、象は弔いをだし、埋葬して、喪に服したりする……それは、動物にもお互いを思う気持ちがあるからなんだ。鳥をはじめとして、死ぬまで添いとげる動物の数だってはかりしれない。

昆虫がなにか感じているかどうかは、ぼくには分からない。でも、メスのカマキリが交尾のあとに相手をむさぼり食うのは愛のため、だなんていう説は怪しいと思っている。

子どもが考えはじめるのはいつのこと？

Laura ローラ｜9歳

　おそらく生まれてからすぐ、ものがしっかり見えてきたときには、確実に。ただ、そんなときの考えは、主に直感的なものだ。それからすこしたって、話したり、言葉が増えてきてから、考えを言い表すようになる。
　それまでは、注意を引くためにぎゃあぎゃあ泣くのは別にして、子どもはうんうんうなったり、わあわあ叫んだりすることで空腹や痛みを知らせるだけだ。それでも、とてもはやくから、子どもは笑顔をつくって感情を表している。考えないとしたら、どうやって感情を抱いたりできるだろう？

神さまは男、それとも女？

Martin マルタン｜9歳

それは宗教によるだろう。キリスト教徒やイスラム教徒、ユダヤ教徒にとって神さまは男。神さまは自らの姿に似せて男性をつくり、それから、男性につきそう女性をつくったとされている。ギリシャやラテン、ヒンズー教の神話には、女神さまがたくさんでてくるね。動物を神格化しているのは、アニミズム崇拝者[1]。エジプトの神さまや女

神さまは、人間の体の上にトキや雄牛、タカの頭を載せていることだってある。

　われを忘れて神さまを愛するようになると、人はその存在をあがめるために祭壇や寺院を建造したくなるもの。

　お金が大好きな人たちは、銀行を建てるだろう。

　ガストロノミーに夢中な人たちは、三つ星のレストランをつくるだろう。

　そして、ぼくみたいに仕事が大好きな人間は、インスピレーションがわくようなアトリエをつくるんだ。ときには、そのインスピレーションが神がかりになることだってある。

　神さまというものは、たたえられるために存在している。今日では、独裁者や映画スター、各界のスター選手なんかが神さまのかわりになっているみたいだ。それぞれに、それはそれは熱心なファンがついている。そんなわけで、現代人は男の神さまでも女の神さまでも好きに選べるし、あらゆる好みに合った神さまがいるということになる。

1　自然界のあらゆるものに霊や魂が宿ると信じている人。

ぼくは、どうして
ずっと生きているの？

Marco マルコ｜5歳

まず、ぼくたちはずっと生きているというよりも、天から与えられる毎日を重ねているだけなんだ。そのあとは？ もしかしたら、どこかほかの場所で生きることになるのかもしれない……。ところで、寝ているとき、ぼくたちはしっかり生きているとはいえない。そんなわけで、なまけ者は控えめにしか生きていないことになる。

じぶんがこの地球の一員だと意識したうえで、しかるべき行動をとるのが生きるということ。そのためには、目をしっかと開いていなくてはね！

負けず嫌いのどこがいけないの？

Camille カミーユ｜12歳

負けず嫌いだからといって、どんな手を使ってでも勝とうとするのはいただけないな。それを知っているイギリス人は「フェア・プレイ」を大事にする。

スクラブル[1]をするとき、ぼくが気にするのはそのゲームのクオリティーだ。だから、ぼくの対戦相手が長い単語をマスにはめこむのに成功して数ポイント稼いだって、ぼくは一向にかまわない。そのおかげでゲームが盛りあがるし、ひいては、ぼくに有利になることだってあるんだから！ ぼくにとって、対戦相手は敵というよりも、パートナーなんだ。

なんとしても勝ちたいという気持ちは、ゲームのよろこびを台なしにしてしまう！ 最悪の場合、あまりにも勝ちたいためにインチキをするようなこともおこってしまう。そんなのは、卑劣きわまりないことだ。

このくくりにおいては、サッカーで負けたチームのサポーターが引きおこす騒動ほどひどい例をぼくは知らない。

1 アルファベットの文字と点数が書かれたコマをマスに置いて単語を作成するボードゲーム。

どうして勉強しないといけないの？

Alexandre アレクサンドル｜5歳半

　それは、脳みそが、胃とまったくおなじように栄養を必要とするからだ。脳にある記憶装置（メモリ）にとっては、新しい知識が栄養になる。

　ところで、ヒトコブラクダのコブの中に脳みそがあったら、どれほどかしこい動物になるか想像してみてほしい。教わったことを、脳にたっぷりと詰めこめるだろう。

　学校に行くのはつらいことじゃなくて、子どもたちだけに許される特別な権利なんだ。先生が不愉快で、退屈で、不公平だったらどうしたらいいかって？ 簡単なことさ、先生よりも知識を身につけて、ぎゃふんと言わせてやればいい。

　学校で教わることだけで満足していてはもったいない。ぼくは、あらゆる分野についての知識を懸命に増やした。ワリスとフトゥナ[1]、タンガニーカ[2]、コスタ・リカとか、わけの分からない名前でいっぱいの地理学に目覚めたのは、小さいときに切手を集めていたおかげ……。自転車に乗っては、化石や鉱物を探して何キロも走ったのもいい思い出。17歳のときには、珍しい放射性鉱物の鉱床を見つけて得意になったものだ。その場所は、それ以降、柵で囲まれた立ち入り禁止地区になったらしい。ヒッチハイクで旅をしていた最中でさえ、ぼくは地質学者の使うハンマーと石で重くなったリュックを背負っていた。北の国ラップランドに行ったとき、磁鉄鉱（じてっこう）という名をした磁石みたいな石をたんまりと収穫したのも忘れられない。カナダでは、アルビノ・アレツーサという、とても珍しい白い蘭にでくわした。植物協会の話じゃ、この花を発見したのは公式にはぼくが3人めだという。

ものごとを学ぶのはとてもおもしろい。とくに、それがありきたりじゃないときはね。

1 南太平洋にあるワリス・エ・フトゥナ諸島（Wallis et Futuna）のこと。フランスの海外領土で、日本では「ウォリス・フツナ」と表記されることが多い。
2 Tanganyika。アフリカ南東部、タンザニアの大陸部の指す地域のこと。

ぼくたちがいなくなったあと、地球にはなにが残るの？

James ジェームズ｜4歳

世界的にはびこる汚染のせいで、人間やぴちぴち飛びはねる魚などの小さな動物たちはすべて消滅してしまうだろう……。ネズミをのぞいては！ ネズミというのは、生き残りにかけては専門家だからね。

したがって、ネズミがわれわれに取ってかわる日もそう遠くはない。やつらは、いずれぼくたちの家に住みついて、公的施設に投資をして、美術館を訪ねて、さらには図書館に足しげく通って膨大な知識をむさぼるようになる。そうなれば、ネズミたちの知性はすぐに発達するだろう。組織化することをおぼえたネズミたちは、欲の皮を張り、権力が幅をきかす社会をつくるにちがいない。争いがはてしなく続く中、ネズミ同士は容赦なく殺し合いをするようになるだろうから、頭数が増えすぎるのは防げるはずだ。そんな無残な争いは、ノーベル賞もののネズミが、みんなを一気に殺してしまうウイルスを発明するまで続く。そのウイルスはあまりに強力だから、生き残りに必死で過激さを増す連合ネズミ軍すべてが抹殺されることになる。なんといっても、すべては繰り返されるんだ！ 永遠、そして、無でさえも。

ママンは、怒るとよくこう言う――「だっては言わない！」。でもぼくは、人生に「だって」は必要だと思う。どうなんだろう？

Marco マルコ｜5歳

そんなママンには、きょういくがくてきにみますと時代おくれです、と教えてやればいいんだ！ こういったもの言いは、子どもは「姿は見せても、口はださない」とされていた時代の負の遺産だ。これは、イギリス人が子どもをたしなめるときにしばしば使っていた言いまわしによく似ている。子どもは、おしゃべりなんかさせてもらえなかった。子どもの意見や、説明してほしいという気持ちは無視されていたんだ。ぼく自身、家族の中でダントツのチビだったから、とるに足らない存在のように扱われてつらい思いをした。ぼくがなにか言おうとすると、みんながプッと吹きだすんだからね。

でも、そんなのはおかしい！ 子どもにだってしゃべる権利があるんだ。小さい子どもはバカではない。大人がどこからきたかは知らなくたって、赤ん坊がどこからきたかは知っている。

わが家の3人の子どもたちはずっと、なにか問題があれば発言してきたし、投票をして意思を伝えることさえあった。3人が結束したら、ぼくの妻とぼくに対して、多数決で勝つことができた。

その手を使って、クリスマスツリーの場所を変えさせたことだってある！

子どもの口からは真実が飛びだす。子どもには生まれつき良識があって、隠さないでものを言う。そして、純真な分、リアリティーに迫っていることが多いんだ。

お話の中では、どうしていつも黒人が悪モノなの？

Elisa エリザ｜6歳

黒人について、きみが言うことにはびっくりだ。どうしてそう思ったか、例を挙げてくれないと。だって、ぼくはきみとはむしろ逆のことが気になっているんだ。たとえば、『アンクル・トムの小屋』では、黒人は不公平と奴隷（どれい）制度の被害をこうむっている。

ところで、昔のコミックには、ときに野蛮な人喰い族が宣教師をスープにしている場面がでてくることがあるけど、そんな行動はもっともだと思う。詳細はさておき、宣教師というものは、もし料理してあったとしても、ぼくの好みからいってまだすこしかたいし、クドい。

朝起きて、
ごきげんなときとそうじゃないときがあるのはどうして？

Ludovic リュドヴィック｜11歳

それは、眠りをむしばむわるい夢のせいだろう。それに、やっかいなことに向き合うのがいやで、きげんがわるくなることも。単純に、雲や雨をもたらす低気圧が原因になることもある。起き抜けにきげんがわるいときのために、ぼくからひとつアドバイスがある。迷っているヒマがあったら、さっさとその日に立ち向かうことだ。だって、はじまったばかりの１日がどうなるか、その鍵をにぎっているのはきみ自身なんだから。そのためには、ちょっとした歌を口ずさむのがいちばんだ。たとえば「門出の歌」なんかがいいだろう。

勝利の唸りは
われらのために門を開く
自由が導くわれらの道よ
北から南まで
戦いのラッパは
戦闘の合図を告げる

これはぼくが小さいときにボーイスカウトでおぼえた歌で、きげんがわるい朝には思いだすようにしている。これで用意は万全。きみの幸運を祈っている。

人間は、どうやって地球にきたの？

Pauline ポーリーヌ｜5歳

人間は、今はもう消えてなくなってしまったほかの惑星からきたんだ。その当時、宇宙専門の旅行代理店は「めくるめく夢の世界での、忘れられない贅沢ステイ」を約束していた。ところが！ 帰りの旅費がふくまれていないことについては、はっきり説明していなかったんだ。その地に置き去りにされて、はじめはなんだかサルみたいだった人間の数はだんだん増えて、地球のあらゆる場所に住み着くことになった。そんなわけで、ぼくたちがほかの国に移住したり観光したりするのは、ぼくたちの遺伝子がなせる技の一部ということになる。

大人がいつも時間がないと言っているのはどうして？

Lucia リュシア｜9歳

なぜなら、大人の時間割は仕事でいっぱいだからだ。

1日の仕事をようやく終えたところの父親や母親を頭に浮かべてごらん。そこから、夕食を準備して、片づけをして、家事をして、子どもを寝かしつけないといけないんだ。ちょっとした歌を口ずさんだり、子守唄を歌ってやる時間さえないときもある。

ぼくが住んでいるのはアイルランド。そこでは、トラック運転手や配達人が、おじいさんやおばあさん、それに家族でいちばん小さい子どもたちを仕事にいっしょに連れていく姿を見かける。

ぼくが思うに、親が子どもをもっとひんぱんに仕事場に連れていくようになれば、あらゆることは大きく変わるだろう。

大人がタバコを吸うのはどうして？よくないことだって、ちゃんと知っているくせに……。

Émilie エミリ｜10歳

　はじめは「なんとなく吸う」だったのが、すこしずつ「吸いたい」に変わり、それが「どうしても吸いたい」になってしまうからなんだ。タバコは、アルコールとおなじで体にわるい。ぼく自身それをよく知っているけど、一度とりこになってしまうとタバコなしではいられなくなってしまう。タバコをやめるためにあらゆることを試したけれど、まるで歯がたたなかった。

　ぼくは15歳のときにタバコを吸いはじめた。そのときのおそろしい味はしっかり残っている。口はネバネバ、歯茎はヒリヒリ、肺はアスファルトで舗装されたよう。タバコは、喉と鼻を常に痛みにさらすものなんだ。

　そんなすべては、ぼくの中に宿ったタバコ愛のせいだ！ 結局、ぼくは今でもタバコを吸っている。ときどき、愛煙家をたばねているニコチン聖女に、ぼくを自由にしてほしいと頼んではいるけれど、効果はまるでナシ！

　そんなわけで、ぼくたちをなぐさめてくれる習慣というものは、必ずしもいいものとは限らないんだ。

この世に
こんなにたくさん
本があるのはどうして?

Manon マノン | 5歳

それは、実のところ世の中には本が足りてないからだ! たしかに、印刷物の大部分は読むに値しない。そのために、悲しいかな、毎年、何百万の木々がムダに命を落としている。でも、10冊のうちの9冊が読むに耐えないとしたら、ぼくたちには常に新しい本が必要になることの説明になる。

読書というのは栄養のひとつの形。本は消化されるもの、つまり、消費に向くものでなくてはいけない。

これだけたくさんの本があっても、じぶんのためになる良質の本は一握り。教養のためにしても、気晴らしのためにしても、本は慎重に選ばないとえらいことになる。ぼく自身、教養と想像力は読書で身につけてきた。だからこそ、よい本はまだまだ必要だといえる!

その流れで、ぼくの友だちのレックス・リブリス[1]のことを紹介しよう。本にくびったけの彼が暮らす小さな家は、書物であふれんばかりだった。そこら中、レンジの上にさえも本が積まれていたものだから、ずいぶん前からあたたかい料理を楽しめなくなっていたし、トイレまでだって、なんとか小道をかき分けていくようなありさま。そこで、ボロ屋にアネックスを増築して、そこを図書室にすることに決めたんだ。お金がなかったから、ためこんだ本の山がレンガと瓦のかわりになった。はたして、できあがった本棚つきのアネックスは、なかなか立派な仕あがり！ ただ、そのとき、なんたることか本がもう1冊も残っていないことに気がついた！ 知らず知らずのうちに、アネックスのため、もっている本すべてをささげてしまっていたんだね！

1 Rex Libris。カナダのイラストレーターJames Turnerによるコミック（2005-2008）。主人公は図書館司書。

どうして ビッグバンが おこったの?

Hannes ハンネス | 6歳

ぼくの知性には限りがある。白状すると、ビッグバンの理論はまったく理解できない。ぼくの手にはおえないんだ。ぼくにとって、星は、天空の黒い天井にある穴だ。とくに大切なのは、生命の3つの大きなビックバンだ。誕生、はじめて恋に落ちた日、そしてあの世に旅立つとき。

愛される、って
どういうこと?

Emma エマ | 6歳

愛があるところには、やさしさが生まれるもの。愛がどんなものだかは、動物がいとおしそうに子どもの世話をやくのを見ればよく分かる。

やっかいなのは、多くの親や友人たちが「内向的」だってこと。つまり、感じていることをうまく言えない人たちが少なくないんだ。ほとんどの場合、それはひかえめな性格のせいなんだけど。

愛する人が困ったことや悲しいこと、病気、苦しみや失敗にさらされると、思いやりの気持ちや愛情がフルにわきでてくる。

愛されているかどうか知りたいって? 愛は、すなおに感じるものだ。もしきみのまわりにあたたかい心のもち主がいなかったら、ほかをあたればいいだけのこと。愛があるところ、愛が、きみを待っているところをね。

子どものほうが大人よりも
テクノロジーに強いのはどうして？

Diego ディエゴ｜9歳

それは、子どものほうが頭の回転がはやいからだ。人間の知性というものは、成長して分別がついたとたんに働きがにぶくなっていって、最後にはすっかりもうろくしてしまう。

ところで、よく知られたことだけれど、多くの発見や発明は、早熟の天才がもたらしてきた。

アルベルト・アインシュタインが相対性理論を思いついたのは12歳。それは、まわりから一目置かれていた父親が、実はならず者だと知ったのがきっかけだった。アイザック・ニュートンはといえば、公団住宅の4階の窓からほうりだされたタンスに危うく道でつぶされそうになったときに、万有引力を発見した。そのとき、彼はたったの14歳だった。

そんなつくり話はさておき、優秀な子どもたちには選挙権を与えるべきだし、数ばかり多くて、頭の回転がおそい大人の選挙権は廃止するべきだろう。ぼくみたいなリタイヤ組は、治療を受けないという選択をしたってなんら問題はないのかも。

動物園があるって、いいことなの？

Rebecca レベッカ｜9歳

　何年か前のこと、ぼくは、動物による動物のための国を訪ねたことがある。ぼくはサルに化けていたから、正体を見破られずにすんだ。そこでぼくは、人間を見世物にしている動物園を見つけた。ぼくは思った。「もしこの『ホモ・サピエンス』が檻に守られていなかったら、とっくの昔に、単細胞で考えなしの肉食動物にむさぼり食われていたにちがいない」

神さまをつくったのは、だれ？

Georgios ゲオルギオス｜6歳半

　神さまたちをつくったのは、人だ。どうにも説明がつかないさまざまなことに立ち向かうために、どうしてもつくる必要があったんだね。火事、雷、死、地震……。これらの現象がおこる理由が分からないまま、人は目に見えないなに者かに話しかけたり、いけにえをささげたりしてごきげんをとろうとしてきた。不安な気持ちは、祈ることでうまく和らげられた。そのうちに、そうしたしきたりや儀式がだんだんと宗教に発展していって、死後の世界にも楽しみがあるってことを伝えるようになったのさ。

　神というのは、それを心から信じている人のために存在している！これには文句のつけようがない。人間は、神のために寺院や大聖堂、モスクをささげるけれど、それは神が天空と地上を行き来するときの仮の宿にもなっている。

人は、たいていは自らの姿を、ときにはシンボルになる動物の姿をモデルにして神をつくってきた。

そして、神は実にたくさんいる！ ヒンズー教の神々やカトリックの聖人は多すぎて、オオムカデの足を使ったって数えきれないだろう。

ごくモダンな宗教について語るなら、原子力エネルギー、ロック、それにテレビや中央銀行、プレタポルテなどの神さまたちにでてきてもらわないといけない。人は、それぞれの偶像にささげられた小さな神殿を前に、祈りをささげている。

ところで、限りなく美しい大自然の中に神を見つける人たちもいる。美しさを単純にあがめる耽美主義者だ。

そんなわけで、神はあらゆるところにいるし、それぞれお好みの距離感で親しむことができる。

死ぬっておもしろいの？

Giovanni ジョヴァンニ｜4歳

人は、死神をこわがっている。それは、苦しいことやきびしい試練は、すべて死神のせいだと思いこんでいるから。死神は、自然災害や人災の最終段階にやってくる。病気や大きな事故、または戦争は、死神が引きおこすものではない。死神は、ぼくたちを迎えにくるだけのことだ。

死神は、税関で働く職員であり、ぼくたちをもてなしてくれるホストでもある。ぼくたちを待っているのは、サファリみたいな今までとはまったくちがう世界。そこからはじまる冒険のスタート地点でぼくたちを迎えてくれるのが死神だ。中には死んで安らぎをおぼえる人もいるけど、あとに残された者にはつらい喪の悲しみがやってくる。死神は「世界人権宣言（せかいじんけんせんげん）」を尊重（そんちょう）していて、ぼくたちがみんな平等に死ぬように見張っているんだ。

ある宗教を信じている人は、生から死へ移行するときにものすごく不安になる。最後の審判がもたらすおそれ。いったい、じぶんにはどんな判決がくだるのだろう？ 地獄行きになるのか、天国へ行けるのか？ どっちにしても、それは終身刑（しゅうしんけい）みたいなものだ。

ところで、すべてのことは、立場によってよくもわるくもなるものだ。いうなれば、悪魔にとっては、地獄こそが天国なのかもしれない。暴君（ぼうくん）、犯罪者、サディストが心をこめて悪事に励んだ結果がなにかの拍子にご奉仕と認められ、死んでから天国に連れていかれたとしよう。でも、連中がそこで幸せになるとは限らない。おそらく、拷問執行人（ごうもんしっこうにん）にとってもしかり。悪モノにとってはせっかくの天国もつまらない原

っぱでしかない。そこはいつだって平和。なんにもおこらなすぎて、悪人にとっては退屈きわまりない。

死んでからの世界については、結局のところ謎なんだ。人間は、太古の昔から死後についてあれこれと想いをめぐらせてきた。そして、見たことも会ったこともないなに者かのごきげんをとろうと、悪魔ばらい、いけにえ、妖術などに頼ってきたんだ。そういった必死の想いを神さまに届けるために役だったのが絵やリズムで、そこから音楽、寺院、ピラミッドが生まれた。神さまじゃないとおこせないような数々の奇跡を描く文学も登場した。説明のつかないものを説明したくなるのは、いったいどうしてだろう？ ぼくにしてみたら、謎というのは好奇心を気持ちよく刺激するサスペンスみたいなもの。探究心に駆り立てられ、死の先になにがあるのかをどうにか知ろうしているうちに、死ぬのが待ち遠しくなったとしても不思議ではないのかも？ 知らないというのは、自由ということでもある。死はたしかにやってくる。そして、ぼくの葬式にはぼく自身が出席することになるんだろう。

それで、死ぬのはおもしろいかどうかって？ もちろん！ だって、死んだ先ではあらゆることがぼくたちを待っているんだから。ある日のこと、ぼくは病院で深く眠りこんでいた。でも、暗いトンネルを抜けていった先に、なんとも表現しがたい光にクラクラしているぼく自身の姿をみとめたんだ！ その瞬間、それまで抱えていたつまらない罪悪感のすべてが、一気に消えていったようだった。こんな経験をしたのはぼくだけじゃない。どこか夢みたいなものをそうやって美しくしたのは、ぼくの想像力だったのかもしれない。ところで、もし死んでからも魂があるとしたら、魂にも居場所を見つけてやらないと（さもなければ、行き着く先もなくさまよい続けることになってしまう）！ 虹なんてすてきだと思わないか？

どうしてよごれちゃうの？

Lou ルー｜8歳

　なぜならよごれというのは避けようがないものだし、こびりついて垢になって増えていくというしつこい性質をしているからなんだ。

　バイキンは、よごれた環境が大好き。そこから病気を流行らせる。ぼくたちがきれいなところで健やかに暮らすために生みだされたのが衛生観念（えいせいかんねん）。とても新しい考えだ。人口がおおいに増えたのも、そのおかげなんだよ。

　とりわけ、水道がある社会では、清潔を保つことはひとつのルールになっている。でも、水道がないところで暮らしている人が世の中にどれだけいるか、きみは考えたことがあるかい？

　それとは別に、ぼくたちの良心をにごらせてしまうよごれもあるということを、付け加えておこう。

　追伸：ぼくには不具の友だちがいる。戦争中、手榴弾（しゅりゅうだん）で両手をこっぱみじんにされてしまったんだ。それでも、清潔第一がモットーの彼の伴侶（はんりょ）は、手を洗ったかどうかを毎朝彼に聞くんだってさ！

エスプリって、なに？
ぼくの体の中を流れている
電気のこと？

Hugo ユゴー｜3歳

　ウイ。エスプリを電球につなげてみたらいい。なぜなら、エスプリというのは、知性を照らす光の源だから。

　エスプリがきいているということは、ぼくたちがちゃんと生きていることの証しにもなる。

思春期の子どもたちは、どうしてえらそうなの？

Naïs ナイス｜10歳と9カ月

それはね、いつか、ちゃんと大人になるための訓練をしているところだからだ。試練を乗りこえないと、じぶんのことはよく分からないもの。思春期の子どもたちは、大人になるために、じぶんに自信をつけようとしている。でも、まだしっかりと自信がもてないから、えらそうにふるまうんだ。若い雄鶏が「コケコッコ」と叫びはじめるのとおなじさ。幼虫がチョウになる、むずかしい時期があるだろう？ 思春期の子どもというのは、マヨネーズまみれのサナギみたいなものなんだ。もうケムシではないけれど、まだサナギにはなりきれない。

でも、なんにしても、きみが心配することはない。タマゴとニワトリ、どっちがえらいか考えるなんてナンセンス。ケッコーなこった！大人よりもかしこい子どもがどれほどいることか？

それに、機転をきかせれば、ごうまんなやつらをいつだってやりこめることができる。相手を驚かせてなんぼだから、できるだけ子どもっぽいやり口がいい。たとえば、ある会議で、ぼくは気むずかしい人にひどく文句を言われたことがある。それに対する答えとして「なぜあなたの歯並びはそんなにひどいのか」とだけ尋ねたところ、あっけにとられた相手は、答えにつまってしまった。きっと、こんな失礼なぼくにびんたをくらわしたい気持ちでいっぱいだったはずだ！

世の中に、必要なものがすべてそろっているのはどうして？

Jessica ジェシカ｜8歳

……それに、必要じゃないものもね！ というのは、世の中には、なくてもいいものと、どうしても必要なもの――毎日食べるパン、喉のかわきをいやしてくれる水、洗剤、寒さから守ってくれる衣類、息を吸うための空気――とがある。必要不可欠なものを整えてみんなで共有し、しかるべきところに分配することがうまく行われていない。それは、世界には強欲と不正がはびこっているからなんだ。

貧しい人が必要最低限のものを手にできずにいるのに対して、お金もちは必要とは思えない余計なものに夢中になっている。すぐさま姿を消す流行商品しか売っていない店があふれているということが、それをよくものがたっている（アマゾニアにいる裸体主義の部族民たちはオートクチュールなんか知らない！）。

人の欲求というのは、あらゆるところに顔をだす。

ぼくたちは、正義、平和、自由を求める……。

愛情、敬意、そして分かち合うよろこびも……。

でも、そういったものはそこらの店では見つけることができないんだ。やさしさを350グラム、憐れみを1キロ、礼儀を2リーヴル（約900グラム）、セール中だからと感謝は20％引きで置いてあるような店、きみは想像できるかい？

職業というものは、必要な条件が整ってこそなりたつものだ。その昔、斧や絞首台がなかったら、死刑執行人はなにもできなかっただろう。もし生徒がいなかったら、先生は授業ができない。

お役所の決まりで必要なものもある。パスポートがなかったらどうやって外国旅行する？ 車で事故をおこそうと思えば、ぜひとも運転免許が必要だ。

思いつくままにすべての欲を並べたら、しっちゃかめっちゃかなリストができるだろう。崇高な心、お導き、豊富な知識……挙げだしたらきりがない。でも、ほんのすこしで満足する人たちだっている！ ラクダがつくる陰で、ナツメヤシをつまんで食べて満足していたというアラブの遊牧民ベドウィン[1]、人生をゼロから再スタートしようとキリストにならって裸で実家をあとにしたというアッシジのフランチェスコ[2]などがその例だ。

必要なものをすべてもっている人たちはといえば、悲しいかな、すぐさま堕落してやる気をなくしてしまったり、ムダ遣いをして身をほろぼしたりしてしまうもの！ ギリシャ神話にでてくるコルヌコピア[3]という羊の角は欲しいものをなんでも与えてくれるけれど、使いきれずにあり余ったものは結局ゴミ捨て場行きになってしまう（世のレストランは、たっぷりでる残飯を食べさせるために豚を1匹飼ったらいい）。

でも、すべてのものには限りがある。喉のかわきをいやすときとおなじで、目の前にあるものを空っぽにしないで取っておけば、必要なときにちょっとずつだして使うことができる。

1 アラビア半島の砂漠や半砂漠に住み、ラクダやヤギなどを飼育してくらす民族。
2 Francesco d'Assisi（1182-1226）。カトリックのフランチェスコ会創設者。
3 果物や花を与えてくれる角（つの）。豊かさの象徴とされている。

みんながいつも質問するのはどうして？

Matteo マテオ｜7歳

好奇心を満たすため、知識を高めるため、そして足りないところを補うためだ。

質問には2種類ある。

ひとつめは具体的なもの。事実にもとづき、はっきりと確認できることについての質問。その場合の答えは、ぼくたちの知識となる。

ふたつめは抽象的なもの。ぼくたちが日々感じたり、気づいたりすること、この世に生きる意味についての質問だ。その場合は、答えがひとつだとは限らない。それに答えがでてきたとしても、その意味をさらに解きほぐさないといけない。

どちらにしても、きみ自身ためらったりしないで、思いつく限りの質問をしてみることだ。もちろんのこと、辞書や専門書にあたってみるのもいい。大切なのは、光をどこにあてるか。頭の中がクエスチョンマークでいっぱいだとしたら、そこを照らして問題を解き明かしてやればいい。ランタンに火を灯すようにね。

質問が生まれるときというのは、飛行機が着陸態勢に入ったり、鳥が木にとまろうとしているときに似ている。そういえば、飛行機や鳥はどうやって飛んでいるんだろう？ 飛行機には羽が生えてないし、鳥にはジェットエンジンがないよね？

わたしたちが眠るのは
どうして？

Ceyda セイダ｜10歳

睡眠というのは、自然の叡智(えいち)がもたらしてくれたすばらしいリズムなんだ。元気を回復できるのは、しっかりと眠るからこそ。そうじゃないと、ぼくたちは疲れきってしまう。それは動物にしてもおなじことで、中には、クマやハリネズミなど、冬のあいだずっと眠り続ける動物もいる。ありがたいことに、ぼくたち人間は冬のあいだ眠り続けているわけじゃない。寒くて収穫もできないからって、冬のあいだずっと眠っているなんてこと、きみには想像できるかい？ 春になって目が覚めたら、カチカチの霜にダメージを受けた排水管のせいで家中が水浸し、なんてことになってしまうかも。

どうして、ものは決まったところに置かないといけないの？

Valentine ヴァレンティーヌ｜3歳

　きちんと暮らしていこうと思ったら、ものはそれぞれに見合った場所や方法で使ってあげたほうがいい。たとえばクギだったら、そのとがった先っちょをトントンと打つわけにはいかない。逆さの水道をリビングに取りつけたりしたら、天井がびしょ濡れになってしまう。上下が逆になった絵は、逆立ちをしないと正しく観ることができない。もし、その絵が抽象画だったら話は別だけどね。
　とはいえ、裏返しや逆さまにすることで具合がよくなる場合もある。フランス語、ドイツ語、英語などは、左から右方向に書いたり読んだりする。でも、アラビア語やヘブライ語では右から左方向。ぼくたちからすると逆さまということになる。しんぶんしのように、どちらの方向からも読めて、ひっくり返しても意味が変わらないものもある。スミスさんやアジア、ウイと言う、といったものとおなじパターンだ。まん丸の球体もいっしょで、前や後ろがなければ、表裏もない。それが、機械の動きをなめらかにするベアリングのボールみたいに、決められた位置でまわっていればの話だけれど。それに、どこかに戻るというのは反対から見ればどこかから出発するになるわけだし、どこかで太陽が昇っていればどこかでは沈んでいるということになる。真実とウソにしたっておなじことだ。
　多くの場合、ものごとにつきものの決まりごとや約束は、ぼくたちの暮らしをスムーズにしてくれる。もしカギがなかったらどうやってドアをあけたらいいのか分からないし、便器が逆さまについていたら

トイレに行くのだってままならない。

追伸：小銭は表をだしても裏をだしても価値はいっしょ。裏側がわるい面だとされるのはメダルだけだ。[1]

1 フランス語で「メダルの裏側（le revers de la médaille）」という表現は「ものごとの裏にある厄介な一面」という意味で使われる（表は美しく、裏はぞんざいにつくられていたことから）。

ぼくの頭についた
シラミは、
死んだらお墓に行くの？

Louis ルイ｜3歳

シラミにはお墓がないんだ。なぜかって？

A：頭皮にお墓を掘ることはできない。

B：シラミはめいめい勝手に行動したがるので、力を合わせて葬式の準備をすることができない。

C：シラミには宗教がないし、永遠の生も信じていない。シラミたちのほとんどは、みすぼらしくて、なまけ者で、社会と折り合いのつかない寄生虫だった前世のことを忘れているんだ。

どうして みんな金(きん)が大好きなの? そんなものを使ったって、なにもできないのに。

Yasmin ヤスミン | 9歳

金は、とても安定した性質の金属なんだ。どんな強い酸だって、金を傷めてさびつかせることはできない。プラチナや宝石とおなじで、金の価値はがんじょうなところにある。結婚指輪やおしゃれな女性が身につける立派なアクセサリーをつくるのにも、金は欠かせない。

砂みたいに細かい砂金を集めている人たちは、金の絶大な魅力に首ったけになってしまう。昔はマモンと呼ばれる金の神がいて、金ピカにひかる仔牛の像がそのシンボルとしてあがめられていた。現代では、熔かした金を型に入れてつくった金塊が銀行に大事にストックされている。それから、かがやかしい金メダルに姿を変えて、オリンピック競技者の首からさがってもいる。

トミさんの答えは いつでも正しいの？

Lou ルー｜8歳

そうとは限らない。じぶんがいつでも正しいと思いこんでいる人のどんなに多いことか！ そんなうぬぼれ屋は、話し合いや譲り合いができない一方的な人間になってしまう。じぶんとはちがう意見をすべて禁止するのは、なにかを熱狂的に信じている人や独裁者の十八番なんだよ。

ぼくは、じぶんこそ正しいとみんなが主張し合って言い合いになるのが大嫌いだ。だから、ぼくの好きなスローガンは「正しいは、まちがいのはじまり」。

判断力というものはゴムみたいに自由に伸び縮みして、質問に対していくつもの答えをだすものだ。ところで、ゴムというのは、ピンチのときにはY字パチンコに姿を変えて敵を攻撃してしまうこともある。

ぼくとしては、きみたちの質問に答えたあとで、意見を変えたって問題はないと思っている。

どうやったら
お父さんになれるの？

Simon シモン｜6歳

　父親の役割はずいぶんと進化した。その昔は、ルールや行儀作法を子どもにたたきこむのは父親ということになっていて、言ってもきかない子どもに手を出すことだってざらにあった。現代の親は棒やムチでのお仕置きをすることはあまりない。かわりに、子どものごきげんをとるためにプレゼントを買い与えているね。ぼく自身、何回か子どもたちのお尻をたたいたことがある。一方的にたたくのはフェアじゃないから、ぼくはときどき膝をついて子どもたちに言った。「今度は、きみたちがお仕置きをする番だ」。そんなとき、子どもた

ちは、小さな手でぼくのお尻をここぞとばかりにめった打ちにしたものだ！

3歳半のときに父親を亡くしたぼくがおぼえている、数少ない思い出のひとつを紹介しよう。巨人（子どもにとっては、すべての大人は巨人だ）が食事中にぼくを膝にのせて、親指と人差し指でぼくの鼻をつまんでいる。それは、ぼくが息をしようと口を開くときをねらって、ほうれん草をつめこむためだ。というのも、ぼくはほうれん草が大嫌いだったから。今では、ぼくが好きな野菜のひとつになったけどね。

だからといって、父が情熱的で愛情深かったことにはなんの変わりもない。父のことをよくおぼえている年が離れた兄や姉たちも、そう言っていた。幼いぼくは、父は才能があって個性的、まるで神さまのようにすばらしい男性だと信じて育ったんだ。本当のところ、いばりん坊でもあったんだけどね。

子どもというものは、父親を自慢したいもの。父親は立派だと思いたいし、尊敬していたい。でも、すべての父親には欠点がある。よそよそしかったり、怒りっぽかったり、せっかちだったり、心配事にとりつかれてうっとうしかったり。母親と言い合いをすることだってある……。

多くの父親は、子どもたちにじぶんの好きなことや信じていることを教えこもうとする。でも、子どもたちはだれだって疑問をもったり、じぶんの意見を言ったりしてもいいんだ。「それはまちがってる！」「それはわたしのせいじゃない！」「ぼくはそうじゃないと思う！」。そう、けっきょくのところ、父親が本当に父親になれるのは、子どもであるきみたちのおかげ。それがかなうのも、親子がお互いを本能的に愛しているからこそ。父親というのは子どもにとってかけがえのない存在で、かわりのきかない人だ。ぼくたちは父親を愛したいと思っているし、愛されたいとも思っている。

時間って、なあに？

Samuel サミュエル｜4歳

　時間はどこからともなくやってきた。永遠をつくりあげるメンバーの一員なんだ。この世界がつくられる前から存在していた時間は、神々の支配からも逃れてきた。時をきざむリズムをもたらしたのは、惑星たちのダンス。星と星のあいだの距離を測る光年から1秒を10億分の1で表すナノセカンドまで、時間を区切って、さらに細かく分けたのは、ものごとに順序をつけたがるぼくたち人間だった。人間は、時間を計るための道具を開発してきた。日時計、砂時計、水時計。18世紀の終わりになると、秒や分を針がきざむ機械じかけの時計が生まれた。

　そうやって時間を計ってきた人間には、1秒が1時間をねたんだり、1週間が1年をうらやんだり、世紀が過去をなつかしんでいるように見えるかもしれない。でも、さまざまな計算、頼りない測定法から生まれる次元をまとわされてしまった時間の方では、そんなことにはまったくおかまいなしだ。

　ぼくたちは過去を話題にするとき、ふたつの出来事のあいだの隔たりを時間としてとらえている。

　過去と未来は、ぼくたちが現在と呼んでいるうすい膜で区切られている。ぼくたちは、一瞬と呼ばれる短い時間が順番につながっている流れの中を生きているんだ。

　正確さにこだわりすぎて、ぼくたちは日にちやスケジュール帳、時間割やカレンダーでじぶんたちをがんじがらめにしている。いらだちやストレス、うるさい目覚まし時計にふりまわされているうちに、気がついたら天に召されるときがやってきてしまう。ぼくたちは時間きっかり体制にすっかり組みこまれてしまっている。そもそも、時間におくれるためには時間が必要なんだけどね。

とはいえ、時間にしばられず、ぼくたちが思いのままでいられる方法はいくつかある。ぼくとしては、じぶんの年齢を生きてきた年数というモノサシではかるのはお断りだ。ところで、楽しい時間はいやな時間よりもはやくすぎる。時間の長さっていうのは「絶対にこれ」と決まっているわけではなくて、とらえ方次第で変わるもの。たとえば、ある町まで20分かかるとしよう。それはぼく流の計算では4本のタバコ分という計算になる。というのも、ぼくがタバコを1本吸うのにかかる時間は5分だから。これは、きゅうくつな時間きっかり体制に立ち向かうひとつの方法だ。

ぼくは、ひまだからと時間をつぶすよりも、ゆったりと見守りたいと思っている。生まれてから死ぬまでめんめんと続くぼくたちの人生。ウキウキしたりがっかりしたり、そのときどきのきげんによって、ぼくたちは時を長くも短くも感じる。人生とはゴムみたいに伸び縮みするひと時のつながりなんだ。最終的には無限の休憩タイム、つまりご臨終がやってくる。

夜に眠れない人たちは、夢がやってきたらどうするの？

Simon シモン｜5歳

　ぼくたちにはイマジネーションがあるんだから、いつだって夢を受け入れてやればいい。よその国からやってきた人にもそうしてあげたいものだ。

死んだ人の肉を
食べないのはどうして？

Léon レオン｜4歳

ぼくたちが動物を殺すのは食べるためだ。食べやすいように肉をこま切れにするときは、動物はもちろん死んでいる。生まれたての赤ちゃんをよろこんで食べる人喰い鬼じゃあるまいし、動物を生きたまま食べるより、死んでから肉として口に入れるほうがぼくたちの性に合っている。粗塩を少々とニンニク数カケ、分厚く切った丸パンを添えてね。

戦争というのもまた、兵隊、そしてたくさんの市民や子どもをいたましい死に追いやる。では、戦いのあとには決まって食糧不足がやってくるというのに、その犠牲者たちを食べてはいけないのはどうしてだろう？ それは、人間が人間を食べるなんてのは、共食いと呼ばれるおそろしい行為だからだ。

せっかくの肉を食べないなんて、ばかげているように思うかもしれない。おしゅうとめさんの煮こみ、若者肉のシチュー、それに、70代のソーセージでお腹をふくらすことのどこがいけない？ いやいや、それはやっぱり無理な相談だ！ ぼくたちは、ほかの多くのホニュウ類といっしょで、じぶんとおなじ由来のものを食べたがらない。単純に、それがぼくたちの生まれながらにもつ性質だからだ。

もし人間がお互いをむさぼり食っていたら、ぼくたちはとっくの昔に滅亡（めつぼう）していただろう。ただ、人口が増えすぎた今の世の中では、世界中で多くの人たちが食べ物に困っている。そのうち、本能に逆らって、隣人でお腹をふくらますことをおぼえないといけなくなるかもね。

人をちゃかす人たちがいるのは、どうして？

Zakaria ザカリア｜9歳

だいたい、人をちゃかすなんてのはいじわるのひとつの形だ。人とのちがいや弱さ、体の不具などをからかったりするなんて、たいていの場合まちがっている。

なんの罪もないひとりぼっちのだれかを、まわりのみんながからかうほどひどいことはない。そんなあざけりは卑怯で、軽蔑すべきものだ。

あざけりの根っこには、しばしば、偏見や差別がある。戦後にやってきたフランス語の先生がアルザス出身の生徒たちを嫌っていたのを、ぼくはよくおぼえている。アルザスのなまりをからかっておもしろがっていたその先生は、大の読書好きだったぼくにこう言った。「文学に興味をもつ前に、まずはそのドイツなまりをやめることだ」。それは、フランスのあちこちで、ぼくたちが「きたないドイツ野郎」と呼ばれいたころのこと。だから、「きたないユダヤ野郎、きたない黒ンボ、きたないアラブ野郎」がどういうことを意味するのか、ぼくは知っていた……。ぼくがどう反応したかって？ ドイツなまりをわざと続けてやったんだ。しかも、それにみがきをかけた。だって、それこそぼくが誇りにしていたアイデンティティーだったんだから。

ところで、ぼくは風刺作家だから、人をからかうことは仕事の一部でもある。ただし、ぼくが絵やものがたりを通してからかっているのは、社会の悪やゆがみ、そして政治家をはじめとした権力者たち。そんなときは、ウイ、ぼくはここぞとばかりにペンを武器に闘うし、それを楽しんでもいる。

ありのままでいたいから、じぶんのことだってちゃかす。ぼくがどんな人間か、そしてどんなことをしているかをおもしろおかしく描くのが大好きだ。結局のところ、ぼくたちはみんな、じぶん自身が描いた風刺(カリカチュア)を演じている。

水って、どうして流れるの？

Sean ショーン｜6歳

水というのは液体だから、流れるようにできている。雨のしずくや涙は水たまりをつくり、そこからあふれだした水は休むことなく流れていく。中には静かな湖でのんきに居眠りして、どんよりにごってしまう水もある。水が海にたどりつけば、波や潮のような塩からい仲間たちに加わる。地表からそう遠くないところにとどまって地下水になる場合もあるけれど、そうなると土の中からなかなか出られない。いわば囚われの身だから、自由に流れている水と比べたらずいぶんつまらないだろう。

空中では、水は蒸気に姿を変えて元気を取り戻す。でも、環境に左右されやすいうえによごれやすいから、バイキンが棲みついて病気の原因になってしまうこともある。ということで、水は、いつものんきに流れているわけにはいかないんだ！

この世に生きている
すべてのものは、
なにかの役にたっている
と言われている。
じゃあ、わたしたちは
なんの役にたっているの？

Nina ニナ｜12歳

きみは「わたしたち」だなんて言うけれど、「わたしたち」と「あなたたち」のあいだにちがいはないとぼくは思っている。「男性」も「女性」も、この世界の人はみんなおなじように生きているんだ！ 社会がうまくまわっているのも、ぼくたちひとりひとりの能力や適性があってこそ。歯車のひとつひとつがうまく噛み合って機械を動かしているように、ぼくたちそれぞれの個性が社会のために必要というわけだ。すべては役にたつ。みんなの笑顔、ときには怒りの爆発だってね！

ウソをついてバレる人とバレない人がいるのは、どうして？

Antonin アントナン｜7歳

ウソつき名人たちは、どうやったらウソがばれないかよく知っている！ やつらときたら、すこしもためらうことなく、相手の目をまっすぐに見て、自信たっぷりに、ありそうにもないホラ話をすらすらと語れるんだ。多くの場合、ウソつきはじぶんのウソをじぶんでも信じこんでいる。そうやって注目を浴びたり、苦しい場面をしのごうとしているんだね。

それに対して、多くの子どもたちがウソをつくのは怒られるのがこわいから。ぼくが小さかったころ、もう名前も忘れてしまったある先生は、詩を暗唱する子どもたちの耳をつまむのが常だった。暗唱ができない生徒がいると、耳をつねったり、ラジオのスイッチみたいにひねったり。そんなわけで、ぼくはこの先生を本当におそれていたんだ。宿題をしていかなかったある日のこと、すっかりあわてたぼくは、とっさに右手の人差し指にばんそうこうをはりつけて、ケガしたふりをした。メガネの奥からぼくに不気味な視線を投げかけた先生は「アンジェレールくん」とおかしな発音でぼくを呼び、「そのばんそうこうを取りたまえ！」と言いはなったんだ。

言われたとおりにした結果、ぼくは傷ひとつない指を見せるはめになってしまった！ 成績表には「ウソつきの生徒」と書かれる始末。そのとき以外、ウソをついたことなんて一度もなかったのに……。

おそかれはやかれウソは明るみにでるし、そうなれば信用を失ってしまう。一度ウソつきというレッテルを貼られたら、真実を言ったとしても、まわりはそれを信じなくなってしまうものなんだ。

ところで、ウソというのは「正しくありたい」という心の動きに関係している。ウソばかりついていたら、まずいことにじぶんに自信がもてなくなってしまう。

ものごとを大げさに言いたてるのも、ウソのひとつの形だ。実を言うと、ぼくはまさにこのタイプ。ウソをついてしまいがちなので、できるだけ上手にコントロールしようと努めている。ところで、ぼくの仕事は、あることないことをごちゃまぜにしてつくり話をすることじゃなかったっけ？

地球は、線路を走る電車の上にのっかっているの？

Lucas リュカ｜4歳

ノン！ それは逆だ。ところで、地球は南北の位置を表す緯度と東西の位置を表す経度で碁盤の目のように区切られた球体だ。経度は最果ての地である北極と南極で交わる。緯線はお互いに交わることなく地球を平行に横切っていて、その長さは１本１本ちがっている。南極と北極を囲むそれぞれの緯線は、地球の丸々としたお腹の真ん中にベルトみたいに巻きついている赤道よりも、ずーっと短いというわけ。地球は、赤道をはさむ北回帰線と南回帰線が描くレールの上を走っている。宇宙空間をころがる地球号がうまく走れているのは、緯線と経線がつくる緻密（ちみつ）な線路のおかげなんだ。

わたしの人生が、
実は夢だっていう可能性はある?

Ada アダ｜6歳

もちろんだとも！ 夢が現実だとしたら、ぼくたちは眠りについてはじめて目を覚ますことになる！

夢を見るっていうのは、お金をかけずに旅をする方法だ。現実を忘れて、あれこれ気ままに想像してみればいい。

小さいとき、ぼくはとてもぼんやりして夢見がちな生徒だった。教室の窓がつくる額縁に雲が流れるのを眺めているうち、ぼくは風にただよっている大きな羽根布団に身をうずめていた。そして、いとも簡単に夢の世界へみちびかれていく。ぼくは、それまで見たことのなかった地球の風景を楽しんでいた。学校は、ほかの建物とおなじようにハエのフンくらいにしか見えない。

気がつくとぼくは教室の机に戻っていて、先生からひどくしかられたものだ。でも、この話にはまだ続きがある！ ある日のこと、ぼくは雲の上に残ったままで、二度とクラスのみんなに会うことはなかった。

どうして
みんなちがっているの?

Joanna ジョアンナ | 8歳

ちがっているということが、人間やその他多くのホニュウ類に与えられた特別な性質だからだ。もしぼくたちそれぞれがまったくおなじだったら、ひとりひとりの個性などなくなってしまう。つまり、ぼくたちは黒一色のアリンコやみんなでおなじものをあがめている狂信者、おそろいの囚人服を着ている受刑者とおなじように、なんのおもしろみもない存在になってしまうんだ。

もしぼくたちがみんなそっくりだったら、だれがだれだか見分けることもできなくなるし、犯罪者の指紋はみんなおなじ、なんてことにもなる。

いちばんチビのぼくでも、
いちばん強くなれる？

Lucas リュカ｜4歳

　もちろん、ウイ！　かしこくて、抜け目がなくて、とっさに機転のきいた受け答えができればいい。目の前でおこっていることを、笑いに変えてしまえばいい。笑いは敵をひるませてやっつける。言葉には人の気持ちを変える魔法のパワーがあるんだ。秘密の儀式をよそおってはったりをかけるという手もある。「おまえに呪いをかけてやる。きっと、近いうちに思いがけない災難にみまわれるだろう」といったようにね。

　きみが小さければ小さいほど、挑戦しがいがあるというもの。その分、より性格の強さを発揮できることになる。

　もちろんのこと、ボクシング、棒術、それに石投げなど相手を攻撃する訓練をすることだってできる。でも、暴力はあらたな暴力を生むだけ。そんな訓練をしたってなんにもならないだろう……。

信仰心って
どうしても必要なの？

Zakaria ザカリア｜9歳

どうしても、ってわけじゃない。宗教っていうのは、そもそも、育った環境によって決まる。命を大切にする教えを広めたり、平和を保つ助けになっている分には、どんな宗教だってわるくない。ただ、なにかを深く信じすぎれば、決まってまわりが見えなくなってしまうもの。そうなると、宗教は、ひどく度をこした行いの言い訳に使われることになる。

宗教はきびしい規律にのっとっている。実践するには強く信じる心がないと！　ところで、信心というものは、神さまからのお恵みや愛情がもたらす高揚感があってこそ生まれるものだ。

5歳のころ、ぼくはお祈りのために毎晩ひざまずき、すこしでもいいから神さまがいると感じたくて空に向かって話しかけていた。それがどんなにささやかだったとしても、もし神さまからのメッセージがあれば、ぼくはそこに希望の光を見つけて、そのお導きに感謝しただろう。でも、なんとも残念なことに、期待していたようなことはなにひとつおこらなかったんだ……。あまりにも反応がないから、神さまが本当にいるのかぼくは分からなくなってしまった。
　それで、ぼくは疑問を抱きはじめた。神さまとより親密になれる堅信式の日には、イエス様の血と肉をいただく聖体拝領がはじまる前に教会を出てしまった。イエス様の肉とされているオスチヤというパンを食べるだなんて、どうも気が引けてしまったんだ。どこか共食いじみていると思ったし、そんな儀式なんてもう信じられなくなっていたからね。
　でも、ぼくはキリスト教やプロテスタントの教えからたくさんのルールを学んだ。その教えは、健全な心と行い、人を憐れんだり許したりする心、そして、なによりも他人を思いやる心をぼくに告げてくれたんだと思う。そんなわけで、今のぼくが実践していることの多くは、昔むかしにどっぷりとつかっていた宗教のおかげということになる。

ママンはぼくがずっとテレビゲームをするのをいやがる。どうして？

Édouard エドゥアール｜11歳

きみはどうしてって聞くけれど、ぼくからすると、ママンの言い分はもっともだ。子どもに甘すぎるその他大勢の親たちは、きみのママンを見習わなくてはいけないね。

ずっとゲームばかりしていたいって？ それはノンだ！ ときどき？ だったらいいかもね……。

ゲームをするのは、運動や勉強のような活動とはちょっとちがう。それは、大切な時間をムダにするだけの気晴らしにすぎない。ぼくとしては、夢想にひたるほうをすすめたい。そうすれば、自由なアイデアがちょうちょみたいにひらひらと舞いおりてくるだろう。

テレビは、ためになったり気晴らしになったりする番組をじぶんで選べるだけマシだ。でも、一日中、味もそっけもない画面だけを相手にしていては体がなまってしまう。

ここであえて読書や工作、スポーツの効用を褒めたたえる必要もなかろう！ そのかわり、ぼくの知り合いの娘さんにおきたことを話そう。3週間休みなしにゲームだけをやり続けた結果、その子の顔はすっかりむくんでしまった。うつろになったその子のはれあがった目は赤い卓球ボールみたいに突きでて、ヒルみたいにふくらんだくちびるのはしっこからはベトベトしたよだれがしたたり落ちた。とうとう話し方も忘れてしまったその子は、ふつうにごはんを食べることもできなくなってしまったんだよ！

火を発明したのは
だれ？

Mattias マティアス｜5歳

　火は人が考えてつくりだしたんじゃなくて、ずっと土の中にあったんだ。ぼくたちが住んでいる星、つまり地球はマグマのうずまく太鼓腹みたいなもので、山が爆発すると溶岩をはきだしたり、火をふいたりする。火が出るきっかけは、地上にだってあれこれある。ときには、サバンナやからからに乾燥した森に、雷が落ちたりもする。

　人間は、火のおこし方を発明する運命にあった。今、ぼくたちが使っているライターのもとになったのは、石器時代の人が石をすり合わせているうちに偶然見つけた火の粉だ。マッチは最近スウェーデンで生まれたもの。子どもがマッチで遊んだことが原因でどんなにたくさ

んの火事がおこったか、きみには想像がつくかな？

　昔むかしのギリシャのお話では、人間の役にたちたいと思った神さまプロメテウスが、ゼウスという王さまから火を盗んだことになっている。その火は、実際、部屋をあたためたり、料理をしたりするのに役だった。

　ジャンヌ・ダルクを火あぶりにした火刑台にだって使われたんだ。一方、プロメテウスはというと、火を盗んだ罰として岩にしばりつけられることになってしまった。哀れなプロメテウスのもとには日がな一日ワシがやってきて、肝臓をついばんではお腹をふくらませたということだ。ところで、人さまのライターをうっかりポケットに入れてしまう困ったクセがあるぼくには、どんな罰がふさわしいだろう？

どうして、目をつぶるとあれこれイメージがわいてくるの？

Louise ルイーズ｜7歳

　それは、ぼくたちに想像力があるからだ。目をとじるだけで、気づかないあいだに頭の中にためこんだ映像が次つぎに現れて、ぼくたちをびっくりさせる。目をとじたときにでてくる画面にはテレビとちがって予想外のプログラムも映しだされるから、ずっとおもしろい。
　寝ているあいだ、とじた目の中は映画館のスクリーンみたいになる。もしまぶたがなかったら、いつまでたっても映画がはじまらない！

死んだあとも、考えられるの？

Manon マノン｜6歳

　ぼくが知っている限り、この質問にはだれも答えられない。魂が地上のなきがらを離れてあの世へ旅立つとき、生きているあいだにたくわえた意識や思い出、知識をカバンに入れてもっていくことなんてできるのかな？　すべては、死がやってくればたちまちはっきりするだろう。それまでは、すこし辛抱することだ。そうやきもきしなくたって、死んでしまえばすべて分かるさ。

　といっても、死がやってくるまでのあいだ、あの世やこの世のあれこれについて考えちゃいけないわけじゃない。せっかくだから、生きているうちに、これでもかと思いをめぐらせよう！　それは、人間という生き物だ

けに与えられた、なによりもおもしろい能力なんだ。

思考（パンセ）が生まれるには、意識が必要だ。それは土から花に栄養を送ってくれる茎のような役割をはたしてくれている。ぼくたちの思考にイマジネーションの力が加わると、それは三色スミレ（パンセ）みたいに美しく花開く。

ぼくがすごく気に入っているドイツの歌では、こんな文句が繰り返される。「思想は自由！」。ぼくたちの考えは、だれにも見抜かれたりしないし、だれにも奪えはしないんだ。

ぼくが育ったフランスのアルザスはナチスに支配されていたから、学校ではこんな風に教えられていた。「余計なことは考えない！　すべてはヒトラー総統にお任せだ！」ってね。また、ぼくたちが考えていることなんて、神さまはすべてお見通しだという人たちもいるかもしれないけど、それは本当じゃない。きみの考えはきみだけのもので、きみをほかの人と区別するもの。それは、ぼくたちに与えられた本当に貴い権利なんだ。もし、あの世でもしっかりと考え続けられたら、ぼくたちは、もうなににも縛られることはないし、永遠に自由でいられる。

だれが空をつくったの？

Tristan トリスタン｜4歳

　空ってのは、きみが思っているようなフタや天井みたいなものじゃない。丸いドームってわけでもない。空には境界がなくて、はてしなく広がっている。だから、骨組み、梁（はり）、柱に支えられた空なんてものはありえない。ずっと昔、ガリアという地域に暮らしていた人たちは、空が、大きな板ガラスみたいに粉々に飛び散りやしないかとビクビクしていた。空というのは、建物みたいにだれかがつくったものじゃない。天体や流星がときにくるくると回転しながらさまよっている空間なんだ。

ときどき、
家族がこわくなるのは
どうして？

Illona イヨナ｜5歳

　家族ってのは、性格や習慣にちがいのある者同士の集まり。ただ血がつながっているという理由だけでいっしょにいるんだ。たいてい、そこで暮らすみんなは、ずっと昔からその家族に伝わる決まりを守ることになっている。
　そんな暮らしの中で、だれかの性格があまりにかけ離れていると、ほかのみんなに理解してもらえないということになる。そうなれば、そのだれかはまるでのけ者みたいに扱われ、ひとりぼっちの心細さを感じるはめになってしまう。世の中にはあらゆる家族があるけれど、残念ながら、すべてうまくいっているなんて話はほとんど聞かない。それに、家族間でのうらみたっぷりの言い争いは、あとあとの人生に重くのしかかってしまうことだってある。
　家族がこわいと思ったら、いっそのこと知らんぷりを決めこむんだ。そうじゃなければ、モヤモヤの理由を、家族にはっきりと伝えてやればいい。きみの気持ちを聞き入れてもらえるチャンスはほとんどないけどね。もし家が監獄だとしたら、ぼくは、そこから逃げるしかないと思っている。
　小さいころ、ぼくは家族みんなで祝うクリスマスの夜がいやでたまらなかった。プレゼントをもらったあと、ぼくは家をあとにして、街をほっつき歩いたもんだ。

歩くとき、
ぼくたちは足と脚を使う。
じゃあ、考えるときは、
なにを使っているの？

Julia ジュリア｜3歳

考えたり反省したりしているとき、ぼくたちが主に使っているのは頭の中におさまっている脳みそだ。でも、人間っていうのは、脳だけじゃなくって、体じゅうで考えていると言ってもいい。胃ぶくろは、次の食事はなにかと期待している。それぞれの指先にだって、ちっちゃな脳みそがある。心臓がドキドキするのも、感情があってこそだ。

韻脚（いんきゃく）なしじゃ、美しい詩なんてつくれやしない。

脚注（きゃくちゅう）なしじゃ、論文ひとつも書けやしない。

脚なしグラスじゃ、ソムリエだってお手あげだ。

というわけで、足と脚の役目はさまざま。考えたり、そのほか多くの役にたっているんだ。ところで、足と脚っていうのはもちろんのこと個性があって、中には抜きんでてかしこいやつもいる。ちなみに、ぼくの足は行儀がわるくて、雑草の生えている花壇を踏みちらすのが大好きだ。

じぶんたちだけじゃなくて、他人も愛さないといけないのはどうして？

Marion マリオン｜6歳

ぼくたちのお隣さんは、ぼくたち自身を映しだす鏡みたいなものなんだ。だから、他人とじぶんをおなじように愛することは、なんらおかしいことではない。だって、結局のところ、他人を愛するのとじぶんを愛するのにちがいはないんだから。

アッシジのフランチェスコも言っていた。「わたしたちは、与えることで受け取る」ってね。他人を愛することに使命を感じる人もいて、それが仕事に結びつくことだってあるんだ。ぼくは、他人の苦しみをやわらげられる看護師を、心から尊敬している。

教会でボランティアをしていたおばのシュザンヌは、いつだって落ち着いていて、とても朗らか。その姿は光りかがやくようだった。その声を聴くだけで、人は心おだやかになったもの。彼女の平和な心はまわりを明るくし、みんながつられて笑顔になった。もうずいぶん前に亡くなってしまったけれど、シュザンヌおばさんは今でも灯台みたいにぼくの毎日を明るく導いてくれている。人のためにつくすこと、もらうよりも多くを与えることのよろこびを教えてくれるこのうえないお手本だった。人のためにつくすことは、ぼくにとっては「愛することを知る」のとおなじことだ。

さもなければ、じぶんさえよければいいという人間になってしまって、人は離れていってしまう。じぶんの殻にとじこもって、他人と関わることなく、うらさびしい空間でひとりぼっちになってしまうんだ。

ぼくは、身体（からだ）と心のどっちで話しているの？

Julian ジュリアン｜8歳

心がなにかを感じたとき、ぼくたちが話せるのは、身体があってこそだ。話したいと思う気持ちをキャッチするのは頭で、その頭を動かしてくれる燃料になっているのは、肺でつくられる酸素というわけだ。さらに、ぼくたちの考えを口で伝えるのに必要な器官である舌も、身体の一部。会社っていうのは、ひとりひとりが受けもちの仕事をするからなりたっているもの。それとおなじで、身体と心、どちらがかけてもぼくたちは動いたり話したりできない。「心身ともに」とはよく言ったもんだ。

もし家がなかったら、なにが変わる？

Émilie エミリ｜5歳

　家がなくなったら、きみは甲羅がないカメ、殻がないカタツムリ、つまり、太陽でからからになったナメクジのようになる。
　人類がこの世にはじめて存在してから、羽も毛皮もない人間は、きびしい天候から身を守るために安全な場所を探して生きのびてきた。まずは、ほら穴に身を隠した。そのうちに、定住民族は屋根や壁つきの家に住むことを思いつき、放牧民はテント、旅行者はキャンピングカーを使うようになった。頭の上に屋根も天井もなければ、きみは宿なしになり、きみの家族は住むところがなくなってしまうんだ。
　しかし、ああ、なんてこと！ 戦争や地震などの異変は、街をまるごとおそうことがある。そうなると、そこに住んでいる人たちは生活に必要なものを奪われ、行き場も失うことになる。それを忘れちゃいけないよ。

親友は、どうやって選べばいいの？

Paolo パオロ｜8歳

まずは、気が合うかどうかだ！ 好きという気持ちは、言葉で説明できることじゃなくて、直感が教えてくれるもの。それは自然とわきあがってくることもあるし、長いつきあいから生まれることもある。

人にはだれにでも長所と短所があり、それぞれのちがった性質はたいていお互いを補い合うものだ。ぼくのことをいえば、熱狂的な性格をしているので、逆におだやかで、激しさを受け入れてくれるような友だちを探してきた。

ぼくは中流階級の慣習の中で育てられた。でも、親友といえば労働者の子どもたちだったから、母親はやけに気をもんでた。ぼくは、労働者層の人たちを深く尊敬している。ぼくにとってきゅうくつだった、ブルジョワのかたよった価値観から逃れることができたのは彼らのおかげだからだ。

それはそうと、心ない悪ガキたちとつきあうことのないように、気をつけないといけない――もちろん、きみがすでにその一味だったら時すでにおそしだけどね！

ぼくたちがみな、それぞれにちがっているのには、きっと意味があるんだろう。

無限の向こうにはなにがあるの？

Raphaël ラファエル｜8歳

無限というのは、どこまでも広がっていて境目がはっきりしない砂漠みたいなものだ。そこをこえたいなら、空に浮かぶ天の川を頼りに進んでみるといい。もしお腹を空かせたおおぐま座にでくわしたら、さっさと逃げるに限る。やつらの好物は道に迷った旅人なんだからね。

そうやって、ぼくたちは向こう側にある無限の世界へ、どうにかたどりつく。そこでは、やわらかな虹色にかがやく光のもと、数えきれないほどの魂がなかよく楽しんでいる。いたずらの限りをつくしたって、思いっきりはしゃいだって、だれも怒ったりしない。だれかがはしゃぐ声、やさしいささやき、そして猫のゴロゴロがかなでるシンフォニーの中、あふれ続けるよろこびが、精神を心地よくゆさぶっては盛りあげてくれる。

庭では、いろんな種類の植物がうっそうとしげり、完璧なハーモニーの音楽が聴こえてくる。一方で、羽毛のようにふわふわした雲が浮かんでいるところはしーんと静まりかえっていて、みんなの心は、どこまでも気持ちよくとろけるよう。そこでは羽根布団が飛行機のように飛び交っているから、雲から雲へと自由に移動できる。でも、ここでぼくが語ったことは、この無限の世界のすばらしさのほんの一部にすぎないんだ……。

その世界は、ちょっと信じられないくらいすてきなところ。そことくらべたら、天国だって、活気がなくて色あせた場所に見えてくる。

ただ、そこに遊びに行くためには、眠りに落ちる前のぼんやりした頭で、その存在を強く信じるという芸当が必要だ。

どうして、2＋2＝4なの？

Joe ジョー｜6歳

それは、この世には計算っていう便利なものがあるからさ！

ぼくたちになじみのある十進法(じっしんほう)という表し方は、指の数を基本にしている。ほら穴時代の人間は、これで数え方をおぼえたんだ。でも、よく見ると、ぼくたちの指の１本１本は、それぞれちがうことに気がつくだろう。……それで、ものごとはちょっぴりややこしくなってしまう。

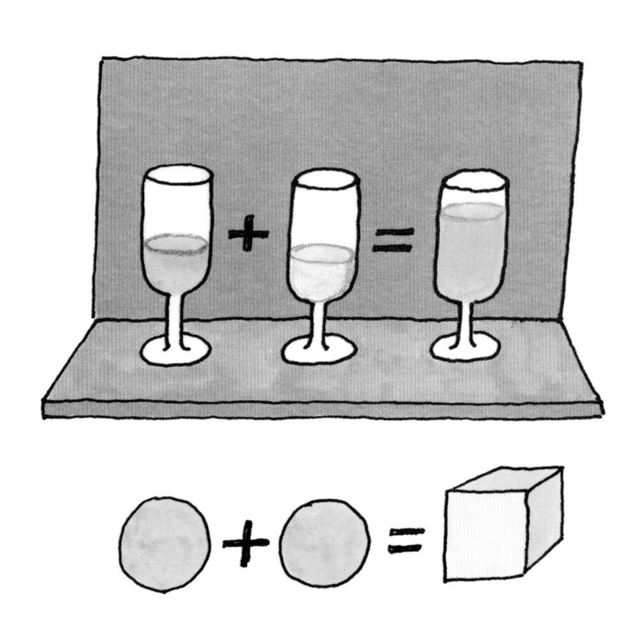

たとえば、ふたりの少年＋ふたりの少女＝４人の子ども、ということができる。

でも、ふたきれのパン＋２枚のハムだとしたら？　それは、ひとり分のサンドイッチになる。

計算すると決めたら、それがたいしてあてにならないとしても、数字それぞれの特徴を受け入れてやらなくちゃいけない。ぼくたちには、数字を大目に見てやる必要がある。だって、数字の４に向かって、本当は７になりたかったかどうかなんて、だれも聞いてあげなかったんだから。

わたしには、
きょうだいがひとりもいない。
ひとりぼっちだと感じるのは、
自然なこと？

Coline コリーヌ｜10歳半

まだ6歳のころ、ぼくはおじさんの家に預けられることになった。おしゃべりしたり遊んだりしてくれる相手はだれもいない。その前にお父さんを亡くしていたぼくは、運命からすっかり見放されたような、みじめで情けない気持ちにおそわれていた。でも、本を読んだり絵を描いたりしているあいだは、悲しいことを忘れられたんだ。想像の世界が、ぼくのいちばんの親友になった。そのときにイマジネーションの力を借りてつかんだ自由は、今もずっとぼくを支えてくれている。

きょうだいがいればいっしょに遊べるけど、ときにはケンカにもなる。まあ、すくなくとも退屈はしないな。でも、そんなにぎやかな中でも、ひとりぼっちだと感じる人もいる。ぼくたちは、どんなに大勢に囲まれていても孤独を感じることがある！

とはいえ、遊び友だちや悪友はぜひとも必要だ。そんなときに打つ手はごく単純。おなじクラスの子を家によんで、なかよくなってしまえばいい。うまくいったら、じぶんも招いてもらえるかもしれない。相手がどこの出身だとか、どんな暮らし向きだとかは関係ない。きみの親が許してくれて、もてなし上手だったらの話だけど。

ぼくが小さかったころ、新学期の習慣にしていたことがある。それは、おなじクラスのみんなの名前をリストにして書きとめておくこと。

友だちができるたび、それぞれの名前にチェックを入れていった。1学期目から全員にチェックが入って、すっかり有頂天になったのを今でもよくおぼえている。なんてったって、どんなときでも、ぼくは口ゲンカや暴力を上手にかわせたからね！

大人が読む本を読んだら、大きくなれる？

Julien ジュリアン｜4歳

ウイ、もちろんだ！ とくに言っておきたいのは、本を読めば大人よりもかしこくなれるってこと。読書をすると脳みそに栄養がいきわたり、ぼくたちを豊かにしてくれるんだ。子どもだったころ、ぼくのお気に入りの本はイラスト入りの百科事典だった。そのおかげで、ぼくはあらゆるアイデアの種をまけるようになった。たんぽぽの綿毛を一瞬で吹き飛ばすみたいにね。見たことも聞いたこともない言葉を探しにいくなんて、なんてワクワクする冒険だろう！ たとえば、人喰い（アントロポファジー）カミナリ花なんて組み合わせ、事典がなかったら思いつくだろうか？

だれかのことを好きになったら、プレゼントを贈るのが決まりなの？

Yvette イヴェット｜3歳

　決まりってわけじゃなくて、自然に贈りたくなるものなんだ。もちろん、嫌いな人よりも、好きな人にプレゼントするほうが楽しい（ただし､嫌いな人とうまくつきあうためにプレゼントすることもある！）。お店で見つからないプレゼントは、安あがりなうえ、もっとよろこばれる。とろけるようなほほえみ、愛のあるふるまい、人をうやまう心、そしてちょっとした気づかいがあれば、かれんな花が咲くように毎日の暮らしがときめきだす。

びんぼうで
得することってある?

Ysé イゼ｜8歳

ぼくが3歳半のとき、お父さんが亡くなった。その先ぼくたち家族を待っていたのは、底なしのびんぼう生活。暮らしはかつかつだった。ぼくのお兄ちゃんは、英語の先生のはからいで、学校にちゃんと通えるように上等の靴をプレゼントされた。今でも、そのことはよくおぼえている。

ぼくがはいていた靴もすっかりきつくなってしまったので、靴の先に小窓をつくってやった。すると、そこから大きな親指がニョッキリ顔を出す。みんなの目から隠すために、ぼくはその指を黒くぬりつぶすことにした。その靴は、サッカーには向かなかった。ボールが買えないぼくたちは空き缶を蹴っていた分、余計にね。そうやって、貧しさのおかげで、ぼくたちはすくないものでもなんとかやっていく術を身につけた。ピンチにみまわれるたび、ぼくはどうにかそこから抜けだそうと張りきったもんだ。

運がいいことに、ぼくたちの家には大きな庭があった。そこで育てていた食物のおかげで、戦争中でも空きっ腹になることはなかった。

貧しいというのは、決まりわるくて、気づまりなものでもある。新学期になると、じぶんたちのボロ服とほかの生徒たちの真新しい服をついつい見比べてしまった。新しいフランス文学の教科書を買うお金がなかったこともおぼえている。だから、ぼくの頼りはお兄ちゃんからもらった古い教科書だった。それは、ランソン[1]というえらい先生がずっと昔に書いたすばらしいテキストだったけど、先生はみんなの

前でぼくをいつもからかった。「おやおや、おまえさんときたら、教科書までお古とは」てな感じでね。

いったん貧しさを体験したら、人生のあらゆることへの感謝の気持ちが身につく。ムダ遣いは大嫌いになり、すくないもので満足し、お金や食べ物を大切にするようになる。お金に困ったことのない連中ときたら、食事の最後にデザートをなんどもおかわりしたあげく、食べすぎたとなげく。ぼくは、はじめて稼いだお金でハリスツイードのジャケットを買ったときのことを今でもよくおぼえている！ 貧しいということは、人生のどん底を味わい、そこから抜けだすためにはいあがっていくことでもあるんだ。

それから時がたち、25歳になったぼくは、60ドルを手にニューヨークへ上陸した。ひと旗あげたくてウズウズしていたぼくは、なんとしてもその街で一目置かれるようになるつもりだった！ つまりだ、貧困そのものは絶望的なものだけど、そこから生まれるガッツもあるってこと。そして、そのガッツは、感謝の気持ちと両立する。というのも、苦しみからはいあがっていくときに手を差し伸べてくれた人の親切を、ぼくたちは決して忘れたりしないからね。

1 ギュスターヴ・ランソン（Gustave Lanson、1857-1934）のこと。文学史家。

友だちといっしょにいるときは
離れたくなるのに、いなくなると、
また会いたくなっちゃう。
どうしたらいいの？

Emma エマ｜5歳

　だれかと遊んでいるとき、それがいつだって最高で忘れられない時間になるように、想像力をめぐらせてみよう。どうしたらいいかって？ 友だちと楽しめそうな趣味があれば、いっしょにやってみればいい。友情っていうのは、相手によって手を変え品を変え、大事に育むもの。菜園で野菜の種類ごとに植えこみをして、それぞれに見合った育て方をするのとおなじだ。庭のあちこちで座ったまんまの犬の置物には、とてもじゃないけど元気な野菜は育てられない。

　アルザスには欲張りなジャンという男のことを歌った有名な民謡がある。それはこんな調子。「もってるものは、欲しくない。欲しいものは、もってない」。今手にしているものに感謝しなけりゃ、人生を楽しむことなんてできやしないんだ。

頭の中に
なんども聞こえてくる
歌があるのはどうして？

Ada アダ｜5歳

ぼくたちの脳は、穴がたくさん空いているグリュイエールチーズみたいなもの。そこには小さなネズミが隠れていて、チーズをつまみぐいしながら小粋な歌を口ずさんでいる。ネズミたちは、腹づつみを打ちながら、うんと楽しんでいるらしい！

ネズミの暮らしは楽しいな
チュウチュウチュウ
まいにちまいにち歌っては
穴空きチーズをかじるだけ
チュウチュウチュウ

愛で
死ぬことはあるの?

Alexandre アレクサンドル | 7歳

お父さんが死んだとき、ぼくは3歳半だった。4人の子どもを抱えたお母さんの財布は、すっからかん。ぼくたちがちゃんと学校に通えて、元気で暮らせるようにと、お母さんはフル回転以上にがんばってくれた。もしぼくたちがいなかったら、お母さんは愛する人を亡くした悲しみに打ちひしがれて、死んでしまっていただろう。

ずっといっしょに生きていくと思いこんでいた相手がいなくなってしまうのは、ひどくつらいことだ。人は、あまりのショックで心が空っぽになってしまうと、なにもかも放りだして死んでしまいたくなる。

そんなとき、また立ちあがるために大切なのはなんだと思う? 空っぽになってしまった心を救えるのは、じぶんの命だけ。そしてその命の鍵をにぎっているのは、ほかでもない、じぶん自身なんだ。それさえしっかり胸にきざんでおけば、きみの中の生が死を倒してくれるはずだ。

無限は、
なにかの中に入っているの？

Tomas トマ｜8歳

　無限は、ずっと遠くまで続いていて、はしっこも境目もない空間。とにかく自由なひろがりなんだ！
　頭の中に無限の世界を思い浮かべてみよう。そこは想像力がむくむくとわきだしたり、ゆっくりと羽を休めたりする場所になる。
　ひとりで暗い牢屋にとじこめられている囚人を想像してみてほしい。その人が無限の世界を思い描いて心の中が自由になると、もうどんなきゅうくつな現実にもじゃまされることはない。
　だから、ぼくの答えはこれだ。無限は、ぼくたちの中にある。ぼくたちの考えや夢をふくらませるための大切な空間だ。また、無限というのは、うつろでむなしい気分をすいとってくれたりもする！

親にとって、
子どもはいつになっても
子どものままなの？

Rebecca レベッカ｜9歳

80歳をすぎたぼくのお母さんは、50代だったぼくにこう言ったものだ。

「わたしのかがやく太陽」

「わたしのかわいい王子さま」

「わたしの金のひよこちゃん」

そのほかにも、アルザス独自の言葉と言いまわしで、ぼくを呼んだ。

「シルク ノ ウサギ チャン」

「キンイロ ノ カブトムシ クン」

「サスペンダー ヲ ナクシテ パンツ ヲ ヒキズッタ ボクチャン」

ぼくのことをチビと人に紹介するのはよしてほしいと8歳上の姉にお願いしたとき、ぼくはもう80歳だった。ぼくがヨボヨボになってちっちゃくなったり、棺の中で子どもに戻るまでは、チビなんて呼ばないでくれ！

……というわけで、もう分かっただろう！ 成長して大人になっても、ごく親しい人たちにとっては、ぼくたちは記憶の中のおチビちゃんのままらしい。

石は、考えることができる？

Stephan ステファン｜8歳

石には脳みそがないけど、だからといって記憶力がないというわけじゃない。石は、何百万年も前のことだっておぼえている。

ときどき、ぼくは石を手に取って耳にあててみることがある。そして、耳をすますんだ……。だまったまんまの石の気持ちをおしはかるには、想像力がいる。

遺跡からでてきた石は、遠い昔に目撃した略奪戦争や大量虐殺のことを語りだすだろう。

ころがって丸くなった浜辺の小石は、おぼれ死んで海岸に打ちあげられた人たちのことを話しだすかもしれない。

化石になったアンモナイトは、ウニやヒトデみたいなクリペウス・プロティと暮らしたジュラ紀のことを話してくれるだろう。

マグマが冷えて固まった花コウ岩の中の成分で、砂の一部でもある水晶が、今日、コンピューターの記憶装置を刺激していることを忘れてはいけない。

ぼくがまだ小さかったころ、窓ガラスを見ているうちになんだかいじわるな気配を感じて、石を投げつけたことがある。できるならあの窓のところに戻って、向こうはどう感じていたのか聞いてみたい。

石はなにも考えていないとしても、ぼくたちに考えるきっかけをつくってくれる。

追伸：あるとき招待された昼食会でのこと。元大統領のヴァレリー・ジスカールデスタンに、きみとまったくおなじ質問をされたよ！

愛している、って
分かるのはどうして？

Lulu リュリュ｜10歳

愛ってやつは、さまざまな形をしている。自由を求めるのと砂糖菓子を欲しがるのとじゃわけがちがう。それとおなじで、愛は愛でも、お母さんと先生じゃ愛し方はちがうんだ。

愛する気持ちが高まって情熱になると、ぼくたちはすっかりのぼせて愛する人のことしか考えられなくなってしまう。はては、その人をひとりじめにしたい気持ちでいっぱいになり、やきもちをやくようにもなる。ひとめぼれは、瞬間的に訪れる。ぼくが、メトロで未来の妻に出会ったときのようにね。ぼくにとって、彼女とのめぐり逢いは天の導きのようで、幻を見ているかのようだった。やがて夢から覚めて、今ではお互いうまく助け合う関係になったけれど。

ところで、だれかにやさしくしたい、だれかをいたわりたいと心の底から感じることもある。それも愛情の印なんだ。だれかを幸せにしたいという願い、感情を交わし合うよろこび、はやく会いたくてウズウズする心。恋に夢中になった者たちに訪れる豊かな世界、ともに生きる幸せなど、すべては愛があってこそだ。

恋に落ちる、だなんて言われるけど、それじゃまるで恋が落とし穴みたいだ。でも、愛は、それがお隣さんへの愛でも、特別な人への愛でも、とても美しくて奇跡的なもの。試してみるだけの価値はある。うまくいけば、ロウソクとロウソク立てみたいに、互いにとってなくてはならない幸せな関係がつくれるはずだ。

その愛が、相思相愛でありますように。一方通行の愛というのはひどく苦しいものだし、放っておくと暴走してしまったりもする。

愛に気づいた瞬間、どんなリスクもカバーしてくれる保険に加入できるといいんだけど。

たった一度しか
生きられないのはどうして？

Maïa マイア｜8歳

小さいときには子どもとしての人生があって、それは青年期、成人期、そして老年と続いていく。86歳のぼくは、もうすでに何回か人生を送ったともいえる。なぜなら、ぼくの人生はいくつもの時代に分かれているからだ。

ところで、ぼくたちが今こうやって送っている人生は、本当にひとつだけと言いきれると思う？ 夜、夢を見ているとき、ぼくたちはもうひとつの人生を送っているのかも？ ひょっとして、現実こそ、たいくつな夢なのかもしれない。

死んだあとにも人生は続くと保証してくれる宗教はいくつもあるけど、いやはや、その形は実にさまざまだ。人はなんどでも生まれ変われるというリサイクル説をもちだす宗教があるかと思えば、死後には天国、もしくは地獄行きが待っていると説く宗教もある。アパッチ族についていえば、死んだあとには、狩りに適したすばらしい土地がもらえると信じていたという。いろいろ説はあるけれど、本当のところは死んだときのお楽しみだ。

ぼくたちの中には、おなじ人生を繰り返す運命を背負わされていると考える人もいる。だとしたら、幼くして命を落とした子どもたちにとってはとくに、生まれ変わりの時期がやってくるのがはやすぎてつらいことだろう。

哲学はすべての問いに
答えてくれる、ってママンは言う。
だったら、哲学は、
ぼくが失くしてしまって、
いっしょうけんめい探している
財布がどこにあるか
教えてくれるの？

Arthur アルチュール｜7歳

　知らないあいだに失くしたのであれ、どこかに置き忘れたのであれ、ものを失くすというのはひとつの教訓なんだ。おなじことを繰り返さないように、もっと気をつけなくてはならない。徒歩、ヒッチハイク、それに自転車で旅をしていた若いころ、ぼくは財布をひもにつるしてシャツの中に入れていた。

　失くしてしまったお守りは、新しいもち主に幸せをもたらすかもしれない。置き忘れたお守りは、ソファーに並んだクッションに隠れてひと休みしているかもしれない。

　いずれにしても、財布はかわりがきく。お母さんのお墓の場所が記憶からなくなってしまったり、精神科病棟で正気を失くしたりするほうがやっかいだ。

お金をひとりじめしたい人たちがいるのは、どうして？

Pauline ポリーヌ｜9歳

世の中には、どんなにお金があっても決して満足できない人たちがいるからだ！ 人間は本質的に欲が深い生き物だからいくらでも増やしたくなるのは自然なことなんだ。

人間の欲深さは、とくにお金との関係でよく分かる。ぼくたちは、お金を手にしたとたんに、もっとお金をもつ必要があると感じる。するとなぜか、贅沢をすることがぜひとも必要だという気になっていく。ところで、贅沢にはお金がかかるもので、人に気前よくするような余裕はだんだんなくなってしまう。

幸いなことに、良心の声を聞いて、富を分け与え、他人を憐れむ気持ちを忘れない人たちもいる。

虹は、鳥が雲まで飛んでいくのに役だっているの？

Maddalena マダレナ｜3歳

　ウイ。鳥たちは、七色の虹に飛んでいって、羽をお好みの色に染めあげる。ところで、ぼくが「ウイ」と答えたのは、この質問がチャーミングだと思ったからさ。ぼくの答えを分かってくれるのは、想像力がある人だけだ。

時が流れていくのはどうして?

Julia ジュリア | 5歳半

　時は、流れていくほかないんだ。それに、どんな人にだって、時を止められやしない。時はあと戻りできず、ひたすら進んでいくもの。1秒たりともムダになんかしない。
　でも、ひたすら流れていくってことは、単調というわけじゃない。雲とおなじで、すぎ去った時がまたおなじ形で繰り返されるってことは決してないんだからね。

大人になるには、
大きくならないといけないの？
大きくなるってどういうこと？

Luisa ルイーザ｜6歳

親愛なるムッシュウ

「フィロゾフィー・マガジン」愛読者のわたしは、このコーナーにあなたが寄せる回答を、6歳になる姪のルイーザといっしょに愛読しています。今日は、ルイーザが常々聞きたがっていることについてお尋ねしようとお便りしました。

わたしは小びと症で背が低いもので、ルイーザは体の大きさ、発達、大人になることのむすびつきについて考えるようになりました。彼女がよくする質問のひとつがこちらです。「大人になるには、大きくならないといけないの？ 大きくなるってどういうこと？」

ヴィオレット Vより

とても小柄で、標準体格の女性をコンパクトに縮めたサイズの友だちが、こんな話をしてくれた。ある夜に行われたパーティーで、脚立のてっぺんに登った彼女は、高らかに言い放った。「わたしが小さいからって、あなたたちが大きいと思ったら大まちがいです！」。その言葉は、みんなにとって衝撃的だった。歌手で役者だった彼女は、その小さな体のおかげで、ピーター・パンなどの役柄を手にしていた。「ふつう」、つまり「平凡」からほど遠い存在だった彼女は、障害者であることを切り札にする術を知っていた。いつだって、だれよりも先にじぶんの低い身長をネタにして笑いに変えてしまうんだ。ぼくが知っている多くの「小びと」とおなじく、活力にあふれていて、笑ってしまうほど率直で、どぎついユーモア精神ももちあわせている。

彼女には、学校に通いはじめたときから磨いてきたテクニックがある。学校っていう場所では、ちょっとほかの子とちがっている子どもは変わり者のレッテルを貼られたり、いやがらせを受けたり、なにかとやっかいな目にあうもの。その結果、子どもの自己愛がひどく傷つ

けられてしまうことがある。そんな運命のいじわるに立ち向かうためにすぐさま役だつのがユーモアセンス。それは、特注の鎧を一生身につけるようなことなんだ。

ちょっとやそっとじゃ太刀打ちできないような、慈しむ心をまるでもたないいばりんぼうに会ったとき、ぼくはユーモアに頼ることにしている。ある日のこと、ベルリンの百貨店で、ぼくは大きなバラ色のスーツケースを買った。エレベーターに乗ると、とても弱々しくてすごく小さな老婦人といっしょになった。ぼくは、丁寧な口調で彼女に聞いた。

「ぼくのスーツケース、お気に召されましたか？」

「それはもう！　こんな色のスーツケース、どうしたって目に入ってきますとも」

「あなたも、こんなスーツケースを手に入れるべきでしょう。きっと、あなたにぴったりのサイズだと思うんです。まあ、体をうんと縮こめたらの話ですけど。そうすれば、遺産相続者にとって、棺を買うよりも安くつくでしょうね！」

彼女は転げんばかりに大笑い。笑いすぎで死んでしまわないかと、こちらが心配になるくらいだった！

彼女には、ぼくの言葉にあざけりの気持ちなんてこれっぽっちもないってことが分かっていたってこと。つまり、ここに紹介したのは平凡な人間のあいだで交わされたジョークなんだ。

子どもたちはだれだってありのままの姿を認めてもらいたいと思っている。まわりの大人が恩着せがましく助けたり、同情したりすることはない。まず不可欠なのは、自尊心を育てること。そして、なにかコンプレックスがあったとしても、それを逆手にとることでマイナスをプラスにだって変えられるんだ。天命は、神さまに送り返してしまおう。運命の鍵をにぎっているのはほかでもないじぶん自身だ！

親愛なるトミへ

こんな風になれなれしく呼びかけることをお許しください。わたしは、スーツケースの婦人の息子です。

わたしが母から聞いたのは、あなたの話とはすこしちがいます。

というのは、母はあなたのきわどいユーモアにとても驚いたのですが、どう反応したらいいか分からなかったのです。それで、あなたといっしょに笑うことにしたのだとか。だから、あざけりの意がまったくないあなたの巧みなユーモアに気がついたわけでない。その場では、とっさに理解できなかったのです。でも、爆笑するという方法で、そこにからかいの意図を感じなかったことにした。ユーモアセンスがゼロで頭でっかちな堅物には、とても真似できない芸当です。

すっかり落ち着いて考えた結果、母は、葬式にはあなたが提案してくれたお得なプランを採用すると言っています。たしかに、ピンクは母によく似合う。あなたには感謝しています。母はあなたのきつい冗談もすっかり理解していることですし、葬式にかかる費用がちょっとでも節約できるのはわるくない話だと思っています。すっかり高齢の母はあれからさらに背丈がすこし低くなったので、スーツケースに入れるのがもっと楽になりました。

ウンゲラーさん、あなたの連載に感謝を。母はいまだにこのエピソードを楽しんでいます。どうぞお元気で。

ジャン=ロベール

追伸：ママンの名前はリーズで、それは彼女にとてもよく似合っています。ところで、ママンのふたつめの名前はローズなんですよ。

どうして、ぼくたちは
じぶんに自信をもてないの？

Raphaël ラファエル｜6歳

　自信をもつためには、ごうまんさやうぬぼれが必要だ。自信満々の暴君や狂信者というのはいつだってじぶんが正しいと信じて疑わない。だれにもじゃまされないところからじぶんの主張を叫ぼうとしている。
　ぼくにかんしていえば、すごく小さなころから、疑い深くて心配性だった。でも、強く思ったことはしっかり伝えられたし、じぶんの意見を軌道修正することも知っていた。ぼくは、言い争いよりも話し合いが好きだ。ものごとがあいまいだからこそ、ぼくたちはあれこれ考えをめぐらせる。そして、好奇心を頼りにあらゆる分野についてくわしく調べることになる。
　戦争が終わってからのこと、高校の先生はぼくに繰り返し言った。「文学に興味をもつ前に、そのドイツなまりをやめることだな！」。おかげさまで、「ドイツ野郎」とののしられていたぼくのコンプレックスはますますひどくなった。でも、恥をかかされた結果、ぼくのアルザス人としてのアイデンティティーはゆるぎないものになったんだ。しかしまあ、その先生の自信満々だったこと！　ぼくは、身をもっておろかで軽率な言動とはなにかを教えてくれたこの先生に、今ではとても感謝している。
　ぼくたちにえらそうに命令をくだす警察にだって、おとなしく従えるわけじゃない！　いつも正しい人なんていないんだからね！

人類は、
ほかの惑星に住めるようになる？

Andrien アドリアン｜11歳

　ぼくたちが暮らす地球の環境がこんなにもひどくなっていることを考えると、ほかの惑星を探さざるをえない日は近いかもしれない。ただ、そこで問題なのは、ほかの惑星はぼくたちが住むようにはできていないってこと。というわけで、地球の内部にあるマグマを取り除き、そこで暮らしていくための環境を整えることを考えないといけない。空気を新鮮に保つために、噴火口はそのまま残しておけばいい。ジュール・ヴェルヌ[1]が『地底旅行』で説いていたようにね。あとは、巨大な懐中電灯を使って、地球の内部を真ん中から照らしてやればいい。

　追伸：海の一部を空っぽにできたら、地上の面積を増やせるかも。

1　フランスの小説家（1828-1905）。1864年に発表した冒険小説『地底旅行』は映画・漫画化され、時代をこえて愛読されている。

無について、ぼくとお兄ちゃんのノアム(10歳)で意見が合わない。ほんとのとこ、無ってあるの？

Andy アンディ｜9歳

　無をがらんどうという意味でとらえるとしたら、無はあるといえる。なぜなら、それは物理的に定義できるからだ。無をそこにないものという意味でとらえるとしても、やっぱり無はあるといえる。形として確認はできないけれど、その無には哲学的・抽象的な意味があるからだ。とはいっても、無は無。0が0なのに変わりはない。そうじゃない？

　ところで、「本来無一物(ほんらいむいちもつ)」という言葉を聞いたことがあるかい？ 実体があるものなんてないんだから、あれこれこだわることはやめようという意味だ。

　そうかと思えば、使い道がないと思っても役にたつ「無用の用」なんてのもある。

　ここだけの話だけど、なんのことはない、無ってのは、なんとも頼りないろくでなしにすぎないんだ。

猫や犬、そのほかの動物も埋葬(まいそう)しないといけないの？

Lucile リュシル｜8歳

動物が死んだときは、衛生上の問題があるから土に埋めないといけない。そうしないと、死骸(しがい)がくさって疫病(えきびょう)を引きおこすことになるかもしれないからね——ハイエナの一群が引き取ってくれたら別だけど。それはそれとして、葬式をだすという選択もある。家族同様にかわいがって生活をともにしていたなら、動物を見送るセレモニーを行って、愛情を伝えるべきだと思う。

ぼくたちが住んでいるのはアイルランドの農場。犬や馬が死ぬと、家族みんなで集まって最後のオマージュをささげる。お墓に花をそなえて、セレモニーのあいだには、動物の性格に合わせて特別に選んだ音楽を聴くんだ。

羊の番犬のための葬式で、ぼくの息子が白布がわりに羊の皮で包んでやっていたのをよくおぼえている。その羊を埋葬したところには、墓碑(ぼひ)として大きな岩を置いて目印にした。

馬が死ぬと、ことはもっとやっかいだ。穴を掘るのに、パワーショベルつきのトラクターが必要になる。ぼくたちの農場は広いから、大きな穴を掘ることができる。町なかの一軒家にある庭ではとても無理な話だけれど。

お墓というのは、思い出が宿る場所だ。都会で暮らしている人は、動物を火葬して、骨壺(こつつぼ)の中に遺灰(いはい)を納めて思い出を大切にしていくことになる。

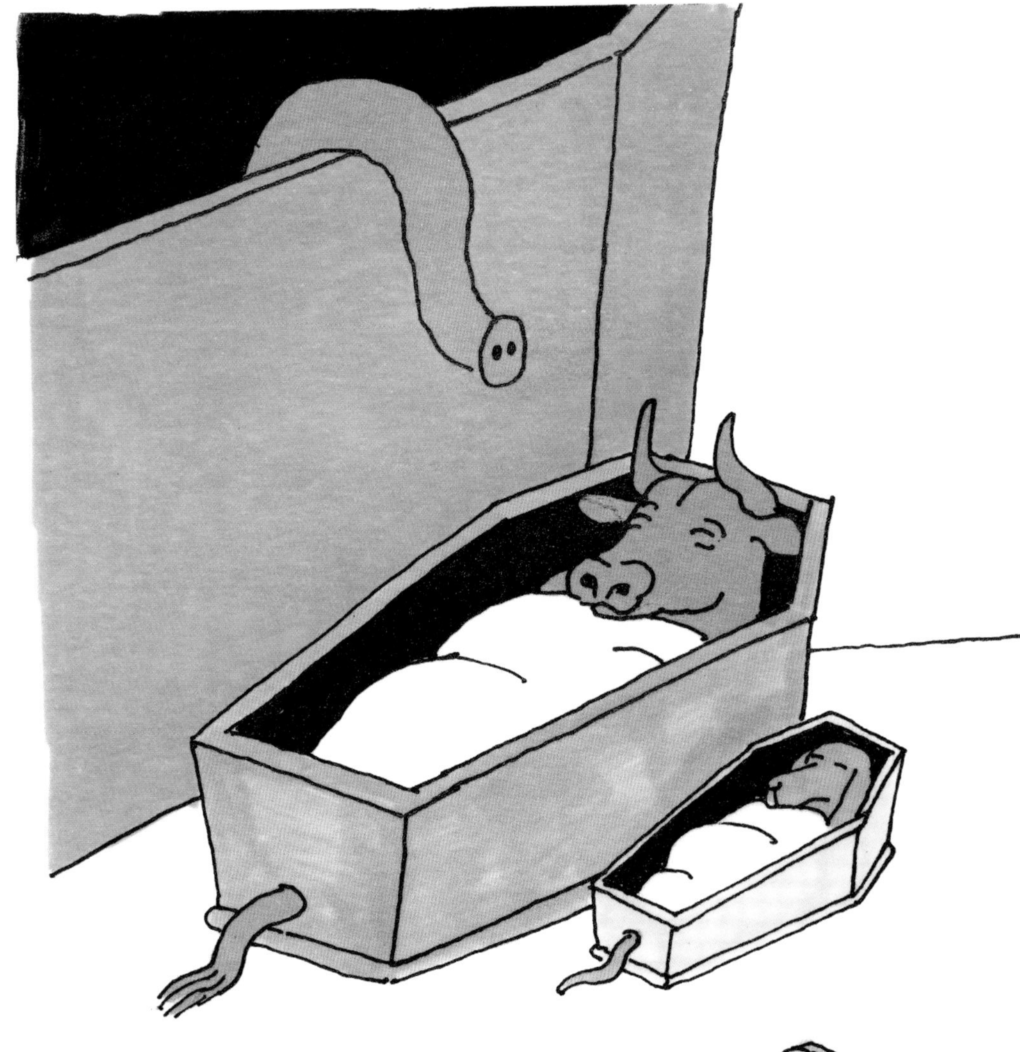

魔法って、本当にあるの？

Simon シモン｜9歳

魔法というのは、ちょっと見、説明不可能なもの。魔術師や手品師のショーというのは、秘密のしかけがなければ成立しない。つまり、マジシャンたちはトランプ、輪っかや帽子を道具に、錯覚をうまく利用して手品を披露しているんだ。

本当の魔法だったら自然の中で体験できる。毛虫が繭の中にとじこもって、さなぎからちょうちょになる様子をよく見てごらん。その羽は、カラフルなハート型をしたタイルでおおわれている。

それから、人生には魔法にかけられたような瞬間がやってくる。幸せな気分は、実はぼくたちの幻想が生みだしている、とふと気づいたり。ともかく、そんなすばらしい瞬間はぜひとも体験するべきだし、それを味わう術もおぼえないとね！

人生はどうやってつくったらいいの？

Valentine ヴァレンティーヌ｜6歳

なにごともしっかりした土台が大切、まずは基礎工事からスタートだ。

基本になるのは教育と知識。新しい気づきや体験がつまったレンガやブロックを、順々に積みあげていくことだ。

幼少期というのは、1階にあてはまる。行ったりきたりするのに都合がいい、とても大きな玄関ホールがあって、親はその様子を管理人室から見守ることができる。

子どもが思春期になると、2階、さらにはもっと上の階へ上れることになる。冒険好きな子どもは、エレベーターでもっと上に行ってみてもいい。

ただし、地震や火事、そして爆弾の存在をお忘れなく。そんな災難にみまわれたら、また一からやりなおしになるってこともおぼえておこう。

というわけで、これが、人生のつくり方についての説明だ。ところで、ひとつ秘密を教えよう。階段を次つぎ上がって行くのはいいことだけど、ぼくたちの人生を本当に豊かにしてくれるのは、それぞれの階で暮らしている人たちとの交流なんだよ。

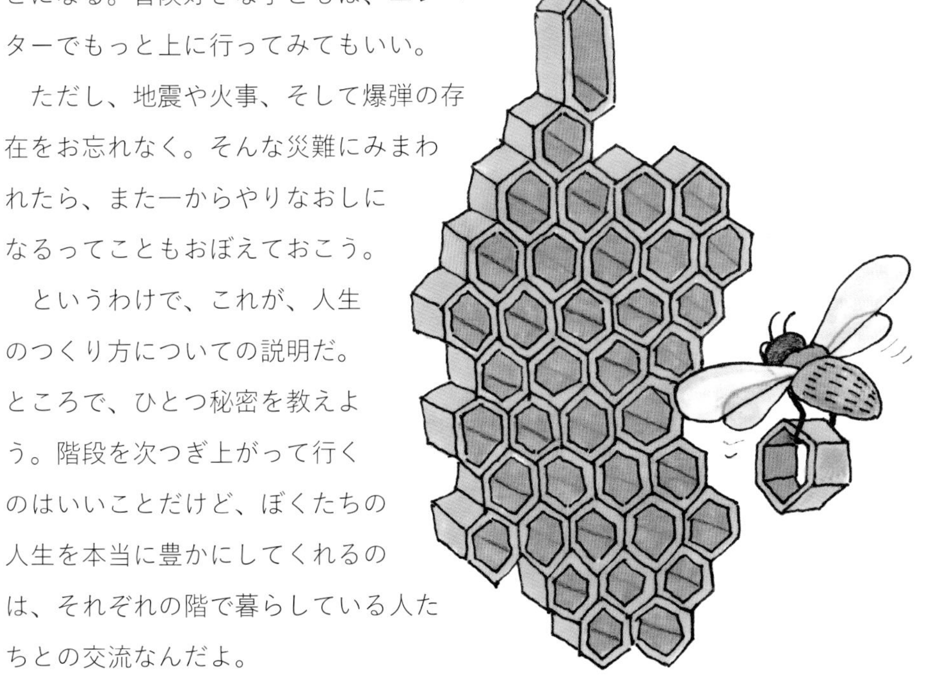

おそろしい暗やみには、なにかいるの？

Adeline アドリーヌ｜8歳

ぼくたちが目をとじると、真っ暗やみが訪れる。暗やみの中で生きている目の見えない人たちは、黒が大好き。手探りで暮らしていくことなんかお手のものだ。

ぼくたちが暗やみをおそれるとしたら、そこに不吉なものが隠れているからだ。不吉といっても、たいていはぼくたちの想像力が生みだしたものごとなんだけど。戸棚が開いて、ぼくのことをガツガツ食べちゃうかも？ ぼくのベッドにかかっているシーツがおばけだったら？身を守るには、懐中電灯に勝る道具はない。

きみを不安にさせたりこわがらせたりするものがあったとしたら、思いきって話しかけてみたらいい。もしなにも反応がなかったら、そこにはなにもいないということ。ためらうことなく、ののしってやればいい。「にくらしいおばけもどきめ、おまえなんか、洗濯機に入れて、洗濯バサミで耳をひっぱってやるぞ」ってね。

暗やみは現実をミステリアスにするもの。奇想天外（きそうてんがい）なストーリーをつくっているときなんかは、ここぞとばかりに活躍してくれる。

人間は、
どうやって猿から進化したの？

Sam サム｜6歳半

聖書のはじまりにある創世記には、こう書いてある。「神はじぶんの形に人間を創造された」。神は霊長類の体つきだったので、じぶんとまったくおなじような、猿のような人間をつくった。ということで、アダムというのはもともとオス猿で、イヴはメス猿だったんだ。それから、その子孫たちは代々進化していき、毛を失うかわりに知性を発達させ、とうとう現在のホモ・サピエンスにまでたどり着いたというわけ。

きっとすでにお気づきのとおり、人間の創造についての宗教の教えと、ぼくたちの祖先は猿だと主張する科学のあいだには、なんら矛盾はないということになる。この説が信者たちと科学者たちの耳に届きますように。そして、いい加減になかなおりしてくれたら最高だ！

石には
つらいことがあるの？

Kaisa カイザ｜5歳

　離ればなれに立っている墓石は、もしかしたらさびしい思いをしているかもしれないね。一方で、海岸なんかでみんなといっしょに生きている小さな石ころは、きっといちばん幸せ者だろう。ただ、仲間がいなくなったら、残された石ころたちはやりきれない気持ちになってしまうかも。その点、無数にある砂つぶはこわいものなしだ。うっかりしてセメントなんかにされちゃったら、救いようはないけどね。

世界はお金がなくても
うまくまわるの？

Nicolas ニコラ｜10歳

　お金がなくなったら、貯金箱もカジノもなくなるだろうね。お店の商品はすべて無料。家賃も、借金も、税金もない世界……。でも、悲しいかな！ そもそもシステムというものは、またほかのシステムに取ってかわられるようにできているんだ。お金がなければ、別のものが登場してくる。色で区別する配給チケットとかね。
　たとえば、こんな感じ。
　――子どもひとりにつき、人形ひとつかぬいぐるみひとつ。
　―― １週間につき、板チョコ１枚。
　―― １年につき、靴下４足と靴が１足。片足しかない人は、はかない靴をコニャックやキューバ製の葉巻と交換。
　なにもかもが、配給制がしかれていた第二次世界大戦のときのようになる。とうぜんながら、物々交換の場である「闇市（やみいち）」が復活するだろう。ドイツ軍がフランスを占領していたときは、人びとはタバコ１箱をバターの塊と交換していたものだ。
　仕事は義務化されて、給料のかわりにレストランでの食事券やヴァカンスが支給される。働き者は、車だって手に入る。ガソリン手当もこみでね。

あらゆる種類の交渉やもめごとが日常茶飯事(にちじょうさはんじ)になって、暮らしはきっと複雑になることだろう。そんなわけで、どんなにお金に難点が多かろうが、イヤらしいごうつくばりがはびころうが、文明人きどりの人間たちにとっては金もうけってのがなによりも強烈な刺激のひとつなんだ。今も、これから先もね。お金のない世界というユートピアはぼくたちのイマジネーションをそそるけど、それを実現しようとすると、悪夢を見るかもしれないよ。

ときどき、わたしの姿が人には見えていないように感じるのはどうして？

Anna アンナ｜5歳

それは、人から気づかれたくないという気持ちがあるから。なんとなく不安だったり、恥ずかしかったりで、じろじろ見られたり、だれかの目にとまるのがこわいんだね。それは、逃避(とうひ)のひとつの現れ。夢の中に逃げ場を見つけるようなもんなんだ。もしも、なにも見えない世界できみひとりだけが他人から見られているんだったら、そりゃたしかに夢の中に隠れていたほうが気が楽かもしれない。選手も観客も透明人間で、審判だけがみんなから見えているサッカーの試合を想像してみよう。もしかしたら、きみも、この審判のような気持ちなのかもしれないね。

いじわるなやつでも、尊重しないといけないの？

Gaby ギャビー｜6歳

鼻もちならない相手でも、ためしにごきげんをとってみたら、やさしい面が引きだせるかもしれない。「プラグマティズム」というやつだ。ほんのちょっと見方を変えるだけで、ことがうまく進むことってあるだろう？ 礼儀知らずで不満たらたらな人、妖怪（ようかい）にだって、心の琴線（きんせん）があるものだ。

そんなことを伝えたくて、ぼくは『ゼラルダと人喰い鬼』という絵本をつくった。プロ並みの腕をもつ料理自慢の少女ゼラルダは、おいしいごちそうを念入りにつくることで、あろうことか、いつも子どもを生のまま食べていた人喰い鬼に、郷土（きょうど）料理のほうがよっぽどおいしいと気づかせてやったんだ。

だから、いじわるに見えるやつも尊重しないといけない。きみにちょっかいをだす悪ガキの中にも、心やさしい子どもの姿がひそんでいるかもしれない。「鬼の目にも涙」とはよく言ったものだ。

もしアマゾンの森がなくなったら、ぼくたちは息ができなくなっちゃうの？

Paul ポール｜8歳

この悲しい質問には、悲しい答えしかでてこない。樹木は太陽から力を取り入れて、ぼくたちが胸いっぱいに吸いこむ酸素をつくってくれている。でも、森がなければ、ぼくたちは息ができなくなってしまう。ぼくたちは、未来のことを考えもせず、みんなの暮らす惑星を森林伐採（ばっさい）によって荒らしてしまっているんだ。昔の歌で「ぼくたちはもう、森には行かない、木は幹ごとぜんぶ伐（き）られちゃった！」というのがある。先を見こしていたんだね。

ということで、さっそくきみの部屋で木を育ててみてほしい。そうすれば、学校や仕事から帰ったら、安心して酸素マスクを外すことができる。果物のなる木だったら、受粉のためにハチが必要だ。鳥を何羽か連れてくれば心地よいさえずりも楽しめる。昔なつかしの「カナダのわたしの小屋」で歌われていたように、玄関できみを迎えるリスがいてもいいかもしれない。とはいっても、森から木がなくなってしまったとしたら、きみの小屋はチョコレート製ってことになるけどね。

恋愛で大騒ぎするのはどうして？
ちょっと大げさなんじゃない？

Bahar バハール｜12歳

それは、恋がエクスタシーという快感をもたらすからだ。いったん恋という病にかかると、回復までに苦労することが多い。たいていは、恋に落ちるとたちまち理性を失ってしまうんだ。感情でまわりが見えなくなってしまう。それはたしかに大げさに見えるけど、じぶんでもてあますほど強烈な感情は、おかしなくらいはかないものでもあるんだよ。

それで、ぼくはどちらかというと友情にひかれる。友情は、恋愛感情よりコントロールしやすいうえに、思いやりややさしさと両立できるものだからね。

とはいえ、憎しみよりは恋愛のほうがいいに決まっている。恋っていうのは、まさに雷のように天から突然落ちてくるもの。いわゆる、ひとめぼれってやつだ。残念なことに、雷は嵐とセットでやってくる。ぼくは、一度、本物の雷に打たれたことがある。そのときに命を救ってくれたのは、ゴム製の長ぐつ——そのおかげで、ぼく自身はまったくの無傷だった！ 電流が体からすっかり抜けるには時間がかかったけどね。そこで、ひとつきみたちにアドバイスがある。恋に落ちる前には、底がゴム製の靴をはいておくこと！

どうしてわたしはわたしで、トミさんはトミさんなの？

Eurydice ユリディス｜7歳

　ぼくは、家族の中でいちばんチビだった。それで、みんながいつもぼくをからかう。くやしい思いに堪忍袋（かんにんぶくろ）の緒が切れるたび、ぼくはじぶんのやり方や考え方を主張したくて「そっちはこっちじゃないもん！」と言い返していた。でも、そのせいで、母親ときょうだいにさらにおちょくられる結果に。みんながぼくのまねをして「そっちはこ

っちじゃなーい」と合唱しては笑いこけるんだから、ぼくは怒りで気も狂わんばかりだった。

ある日のこと、とうとうたまりかねたぼくは、9歳年上の姉をひっぱたこうと突進していった。どっと倒れこんだ姉を前にして、死んでしまったと勘違い。じぶんが殺してしまったと思いこんだぼくは、なんとか姉を生き返らせようと泣きじゃくりながらその体をゆさぶった。すると奇跡がおきて、姉は「そっちはこっちじゃなーい！」と言ってゲラゲラ笑いだしたんだ。

それはそうと……、ぼくたちみんなにちがいがあるのはありがたいこと。それぞれが、ほかの人にはないものをもっている！ さもなければ、人生はなんともつまらなくなってしまうだろう。

それに、みんながちがっていても、学校や軍隊、組合など、社会はけっこううまくまとまる。スポーツが行われるスタジアムやロックコンサートの会場に群衆がかけつけたり、アイドルを前にファンがひしめいたり。その場合は、じぶんと他人がまぜこぜになって、みんないっしょくたになってしまう。正直言って、ぼくはこういった集まりには惹かれない。というのも、ぼくはぼく以外のなに者でもないし、自由でいるためにはぼくであり続けないといけない。みんなのちがいを隠してしてしまう仮面、右にならえのファッション、制服なんてものは、すべてくそくらえだ！

他人、そしてじぶん自身をもっと理解するには、立場を置きかえてみることだ。この考え方を、ぼくは「そっちこっち」と呼んでいる。そっちとこっち、どちらも平等、こっちとそっち、どちらにも個性がある。それから、ぼくたちはみんな、いいときもあればわるいときもあるってことを忘れないでおこう。

宇宙が無限だとしたら、どこか決まったところに住まなくてもいいんじゃない？

Hugo ユゴー｜12歳

とんでもない！ ぼくたちには避難する場所、屋根が必要だからこそ、どこかに住みつくんだ。ところで、テント暮らしの遊牧民は、無限や宇宙の存在なんかおかまいなし。巣の中の鳥、迷路の中のもぐら、殻の中のカタツムリといっしょだ。ぼくたちは、最低限の生活空間があればやっていける。

無限の時空に居場所を見つけようともがいている預言者、哲学者、宇宙飛行士たちは、もともとないものを探して、そこに隠れようとしているのかも。たしかにぼくたちの頭上には空が無限に広がっているけど、だからって家がいらない理由にはならない。零下（れいか）15度の中、星空の下で野宿するなんてもってのほかだ。

星のうしろには、なにがあるの？

Jana ジャナ｜7歳

空にまたたく星の向こうでは、またおなじように数えきれない星が満天にかがやいているんだ。あんまり遠くにありすぎて、ぼくたちには見えない星だってある。夜空というのは森に似ている。森を遠くから眺めると外側に植わっている木しか目に入ってこないけど、そのうしろには数えきれない木が隠れているだろう。分厚い本の１ページめみたいなもんだ。

どんな空間にも別の空間が隠れていて、それがはてしなく繰り返されているんだ。

かしこいって、どんなこと？

Joseph ジョゼフ｜5歳半

大人にとってかしこいおりこうさんというのは、言いつけをよく聞いて、おとなしくもの静か、手のかからない子どものこと。そんな子どもはいてもいなくてもおなじで、なんら個性のない肖像画みたいに、味気なくてつまらない。つまり、ちっともおもしろみがない。

「子どもはだまって、言うことを聞いていればいい！」というのが多くの大人の言い分。でも、子どもはペットじゃない！ 子どもそれぞれの個性は行動のちがいに表れる。お仕置きを受ければ受けるほど、その子どもの経験値は高くなっていくものだ。

年を重ねて老いることで、ぼくたちは勝利、まちがい、後悔といった経験を積んでいく。その中で用心深くなったり、節度をおぼえたり。そうやって分別を身につけた人は、長くて白いヒゲがご自慢のインチキ仙人みたいなものかもしれない。格式ばって、クドいお説教が大好きな人のことだ。ところで、大人になっても、かしこい人というのはつまらない人だと思われがち。とくに、その人がえらそうにふるまっているときにはね。

でも、過去の「賢人（けんじん）」たちは、ぼくたちを助けてくれることがある。だれかに相談したい悩みにぶつかったときに頼りになるのが、賢者の知恵なんだ。ぼくは、ジレンマや困難に苦しむたびに、じぶんよりかしこい人たちからのアドバイスに頼ってきた。そして、そのことを誇りにも思っている。ぼくたちは、ガイドなしに砂漠を横切ることはできない。

父親を３歳半で亡くしたぼくは、いつでも、適切なアドバイスをしてくれそうな年上の人との友情を育ててきた。アドバイスに耳を傾けたら、次は、いざ実践だ。ぼくはそれで後悔したことはない。アドバイザーから教わる視点は、ものごとを落ち着いて判断するのに役だつ。ぼくの最初の人生案内人だった兄は、ベッドの上に、教訓を鋲（びょう）でとめてくれた。たとえば、「どん欲であれ」なんてね。

そうやって、ぼくたちは、一生をかけて学んでいくんだ。根っからの悪ガキのぼくだけど、この本ではじぶん自身が学んできた知恵をたっぷりと紹介してきた。ぼくのアドバイスがいまひとつだったら、そこはきみの力の見せどころ。ぼくとはまったくちがう方向に、堂々と進んでいってくれたら万々歳だ。

テーマ別さくいん

友情

愛

動物

お金

宇宙

子どもと大人

家族

人類と人間性

倫理と社会

死

自然と科学

思考と知識

恐怖

偏見

宗教

はるか遠く、東の空へ

トミ・ウンゲラーと聞いて、児童文学ファンなら『すてきな三にんぐみ』を思いだすかもしれない。世界各地で読み継がれているこの絵本は2度にわたってアニメーション化もされ、多くの人びとに親しまれている。ところで、このお話の主人公は強盗犯、そして親から見放された孤児たち。主な舞台は暗い森の中で、全編をとおしてのテーマカラーは黒とブルー。トミが子どもたちに語る夢は、バラ色とはほど遠い。

だから、トミの絵本は人を選ぶ。実際、かつてスイスの幼稚園では毛嫌いされていたと本人も書いているし（本書まえがき参照）、奔放なスタイルのせいで、長いあいだアメリカの図書館からしめ出されていた。でも、訳者の子どもが現在通っているパリの幼稚園では、なんどかトミの絵本を見かけたような……。本書を翻訳しているという話をしたら、年中組の先生カティーが個人所有の貴重な資料を貸してくれた。園長のアディラにトミの作品について聞いてみると、「ほかと一線を画しているからこそ、子どもたちがものごとを考えるきっかけになるし、新しい世界に目が向くようになる」と言う。

トミが手がけた絵本は、たしかにオリジナルだ。表紙には、世にもおそろしい人喰い鬼、不気味なタコ、蛇、コウモリ、真っ白な顔の月おとこ、青い雲おとこ、しかめ面の子猫、片目がとれてしまったクマのぬいぐるみなど、いわゆるスーパーヒーローになり得ない個性派の面々が並ぶ。それぞれ絵のスタイルはちがえども、不思議議なことに、どれをとってもトミ風としか表現できないなにかが漂っている。なんとも味わい深く、底なしの魅力で見る者の心をつかんで離さない。同業者にもファンは多いらしく、2016年に「トミ・ウンゲラー、フォーエバー」と銘打った展覧会が開かれると、実に100人ものアーティストが85歳になったトミにオマージュをささげる作品を寄せた。

展覧会の会場になったのは、2007年にトミの生誕地ストラスブールにオープンした「トミ・ウンゲラー美術館」。ドイツと国境を接するフランス北東部、アルザス地方に位置している。トミが生まれた1931年はフランス領だったものの、第二次世界大戦中はナチスの統治下に。フランス人として生まれたトミの国籍は、戦時中はドイツ、戦後はまたフランス、と2国間をいったりきたり。子ども時代のトミの暮らしは、社会の変容、つまりは大人たちの都合に大きく翻弄された。幼くして父親を亡くし、家庭環境も決して平穏ではない中、トミの日常を支えたのが想像の世界だったという。

成長しても夢を見るのに忙しすぎたのか、トミは大学進学への切符であるバカロレアにあえなく失敗。20歳ごろには、リュックにマラルメの詩集をしのばせてノルウェーやアイスランドなどを旅してまわっている。兵役が義務だった時代のこと、旅から帰ってきたトミはラクダ部隊の一員としてアルジェリアに赴き、そこでヴァカンス気分を味わった。その後ストラスブールの装飾美術学校へ短期間通ってはみたものの、トミの中ではそのころ出会ったアメリカ文化への憧れがつのるばかり。どうも学業に身が入らない。25歳でニューヨークに渡った。

はたして、その決断はトミの才能が開花するきっかけに。またたく間に広告や絵本の世界で名を馳せたトミは、実力次第でなんでも可能だったアメリカで成功を収める。ただ、そこは安住の地とはほど遠かったよう。戦争や人種差別に反対する政治的なポスターや社交界を批判する風刺画を発表するようになったトミは、15年ほど続いたアメリカ暮らしをあっさり捨てると、1971年にカナダのノヴァスコシアへ移住してしまった。さらに1976年にはアイルランドへと移り、家族とともに広大な農場で新生活を営むように。古くからフランスとドイツ両国の影響を受けて独自な文化を育んできたアルザスへの郷土愛が強くなったのも、ちょうどこのころのことだ。2001年には欧州評議会の「児童と教育の大使」に任命され、ストラスブールで過ごす時間がさらに増えることになる。さまざまな文化が混じり合うヨーロッパで、トミが幼いころから夢見ていた理想郷は見つかったのだろうか。

2019年2月、ちょうどこの本の翻訳をぼちぼちとはじめたころ、トミはなにかの悪い冗談のように亡くなってしまった。聞きたいこと、たくさんあったのに。

ゆっくりとしたペースで翻訳を進めているうちに、わたしたちをとりかこむ環境は大きく変化した。世界各地で新型コロナウイルスが猛威をふるい、だれにも先が読めない状況。そんな中、トミの摩訶不思議な回答についてあれこれ考えているあいだは不安を忘れられた。お気に入りの絵本を読み返せば、どんなときだって心が踊る。Merci vielmols, Tomi！

長きにわたった翻訳期間中、解釈に悩んでフランスの家族や友人に電話すると、みな一様におもしろがっていっしょに考えてくれたのもよき思い出。マリー＝フランス、ユグリアナ、ジョジョの3人には特別に感謝している。

この本ができあがったのは、フランス語の知識も豊富な山田亜紀子さんが丁寧に編集にあたってくれたおかげだ。たくさんご苦労もおかけしてしまったが、おかげで、独特なトミ哲学をふたりで深掘りしていく日々は愉悦にみちあふれるようだった。哲学的な解釈に苦しんだときには木村信子先生からの助け舟に救われた。あれこれ工夫を重ねて、すてきな本に仕上げてくださったデザイナーの伊藤滋章さんにもお礼を言いたい。

最後に、ヨーロッパから見ると東の最果てに暮らす日本の読書のみなさまへ心からの感謝を。西の最果てから届いたトミの思考やユーモアに翻弄されることもあると思うが、この本が上質の気晴らしになってくれたら、訳者という名の魔術師の弟子として最上の喜びだ。トミ独特のエスプリやユーモアを尊重しようとここまで細心の注意をはらってきたものの、思わぬまちがいがあるかもしれない。見識高いみなさまから、貴重なご意見やご指摘をいただけたらありがたい。

2021年1月末

アトランさやか

Foto: ©Gaëtan Bally/KEYSTONE

トミ・ウンゲラー　Tomi Ungerer

1931年11月28日、ストラスブール生まれ。絵本作家、グラフィック・デザイナー、イラストレーター、おもちゃ発明家、コレクター、広告デザイナーなどさまざまなジャンルで活躍し、重要な児童文学作家のひとりとして60年以上ものあいだ高く評価されてきた。著書は40以上の言語に翻訳され、映画の原作になった作品もある。代表作に『すてきな三にんぐみ』（1961年、日本語版は偕成社より1969年刊）、『ゼラルダと人喰い鬼』（1967年、日本語版は評論社より1977年刊）、『キスなんてだいきらい』（1973年、日本語版は文化出版局より1974年刊）、『オットー：戦火をくぐったテディベア』（1999年、日本語版は評論社より2004年刊）などがある。1998年、「小さなノーベル賞」と称される国際アンデルセン賞画家賞。2019年2月9日にアイルランドで死去。

訳者

アトランさやか　Sayaka Atlan

1976年生まれ。青山学院大学文学部フランス文学科卒業。2001年に渡仏、パリ第四大学（ソルボンヌ大学）にて学び、修士号を取得。パリの日本語新聞『OVNI』でのコラム連載など、パリをベースに執筆活動中。著書に『薔薇をめぐるパリの旅』（毎日新聞社）、『パリのアパルトマンから』（大和書房）、『ジョルジュ・サンド 愛の食卓：19世紀ロマン派作家の軌跡』（現代書館）、共著に『10人のパリジェンヌ』（毎日新聞社）がある。
http://blog.sayakaatlan.com/

どうして、わたしはわたしなの？

トミ・ウンゲラーのすてきな人生哲学

2021年2月20日　第1版第1刷発行

著者
トミ・ウンゲラー

訳者
アトランさやか

発行者
菊地泰博

発行所
株式会社現代書館
〒102-0072 東京都千代田区飯田橋3-2-5
電話 03-3221-1321
FAX 03-3262-5906
振替 00120-3-83725
http://www.gendaishokan.co.jp/

印刷
平河工業社

製本
積信堂

ブックデザイン
伊藤滋章

校正協力：高梨恵一

Printed in Japan
ISBN978-4-7684-5895-2
定価はカバーに表示してあります。
乱丁・落丁本はお取り替えいたします。